U0217383

國家古籍整理出版專項經費資助項目

栖芬室

栖芬室藏中醫典籍精選·第三輯

徹賸八編·内鏡

【清】劉思敬 著

中國中醫科學院中醫藥信息研究所組織編纂

牛亞華◎主編　　牛亞華◎提要

北京科学技术出版社

圖書在版編目（CIP）數據

栖芬室藏中醫典籍精選·第三輯．徽牘八編·內鏡/牛亞華主編．—北京：北京科學技術出版社，2018.1

ISBN 978－7－5304－9239－0

Ⅰ．①栖… Ⅱ．①牛… Ⅲ．①中國醫藥學—古籍—匯編 Ⅳ．①R2-52

中國版本圖書館CIP數據核字（2017）第213684號

栖芬室藏中醫典籍精選·第三輯．徽牘八編·內鏡

主　　編：牛亞華
策劃編輯：章　健　侍　偉　白世敬
責任編輯：董桂紅　周　珊
責任印製：張　良
出 版 人：曾慶宇
出版發行：北京科學技術出版社
社　　址：北京西直門南大街16號
郵政編碼：100035
電話傳真：0086-10-66135495（總編室）
　　　　　0086-10-66113227（發行部）　0086-10-66161952（發行部傳真）
電子信箱：bjkj@bjkjpress.com
網　　址：www.bkydw.cn
經　　銷：新華書店
印　　刷：虎彩印藝股份有限公司
開　　本：787mm×1092mm　1/16
字　　數：350千字
印　　張：30
版　　次：2018年1月第1版
印　　次：2018年1月第1次印刷
ISBN 978－7－5304－9239－0/R·2397

定　　價：**790.00元**

《栖芬室藏中醫典籍精選》編纂委員會

顧　問　余瀛鰲

主　任　李宗友

副主任　王映輝　張華敏　李海燕

主　編　牛亞華

副主編　李鴻濤　張偉娜

委　員　程　英　佟　琳　彭　莉　符永馳　李　斌　孫海舒

李　兵　王　蕊　范佛嬰　刘振遠　付書文　張一鳴

李　辰　王亞楠　李　婕

前言

范行準先生是中國醫史文獻研究的開拓者之一，其成就之巨大，至今難以逾越；他也是著名藏書家，其栖芬室以收藏中醫古籍聞名於世。與一般藏書家不同的是，范行準先生搜求醫籍的初衷并非只爲藏書，而是爲開展醫史研究收集資料，因此，他的藏書除注重醫籍的版本價值外，更重視文獻的稀缺性和學術性。他説：『予之購書，善本固所願求，但應用與希覯孤本，尤亟於善本也。』足見他對購求孤本和稀見本比善本更爲迫切。他的藏書不僅有元明善本，還有大量的孤本、稀見本、稿抄本，這更是其藏書的一大特色；他還特别注重圍繞某個專題進行搜集，如爲了研究中國免疫學史，他搜集了大量疫病、痘疹和牛痘接種的相關文獻；他在本草、成藥方、中西匯通醫書的收藏方面，亦有獨到之處。

長期以來，研究者一直期望將栖芬室藏中醫古籍珍本系統整理，影印出版。在國家古籍整理出版專項經費的資助下，我們已甄選栖芬室藏元明善本、稿抄本以及最具特色的『熟藥方』，并加以編輯整理，邀請專家撰寫提要，且分别於二〇一六和二〇一七年相繼影印出版了栖芬室藏中醫典籍精選第一輯和第二輯，受到學界歡迎。上述兩輯出版的著作，僅爲栖芬室藏書的一部分，除此之外尚有許多醫籍值得醫界研究和利用。此次我們又獲得了國家古籍整理出版專項經費的資助，選取了十餘種明清孤本、善本和有實用價值的醫籍影印出版，是爲栖芬室藏中醫典籍精選第三輯。

作爲『栖芬室藏中醫典籍精選』項目的收官之作，本輯在書目的選擇上尤難决斷，栖芬室所藏珍本甚多，内容廣泛，難免顧此失彼。我們希望所選書目既能兼顧臨床實用與文獻價值，又能體現栖芬室藏書的特色和范行準先生的藏書理念。

基於上述考慮，本輯入選書目大多臨床實用與文獻價值兼具。如醫略正誤概論是少見的針砭時弊的作品，該書十分注重常見病尤其是熱證的鑒别診斷，是關於熱證最全面的論著。女醫雜言是罕見的女性醫家的著作，也是較早的醫案著作，所記案例均爲女性病人，内容細緻入微。衆妙仙方是明代官吏馮時可在廣西爲官時，發現當地缺醫少藥，迷信巫術，爲改變這種狀况而作，收方切合實用。新編名方類證醫書大全、慈惠小編、脉微等均具有較高的臨床價值。

在版本和文獻價值方面，本輯所收有不少爲海内外孤本，如上述的醫略正誤概論、女醫雜言、慈惠小編及秘傳常山敬齋楊先生針灸全書等爲天壤間僅存之碩果，且其中一些還入選了國家珍貴古籍名録，其版本和文獻價值自不待言。有些入選醫書雖然現存不止一種版本，但也獨具特色。如衆妙仙方，現存三種版本，本次所選爲萬曆刊本，印刷年代雖在三種版本中最晚，但經比對發現，該版本與其他兩種版本有較大差异，應是其初刊本的翻刻本，反映了該書最初的狀態，對研究該書版本及修訂演進有重要價值。再如醫説，版本衆多，民國至今，我國已出版的影印本多達二十餘種，但是，這些影印本所據底本僅宋刊本、四庫全書本和顧定芳本三種。本次選用的張堯德刻本，經籍訪古志補遺評價其爲『依顧定芳本而改行款字數者，然比之顧本，仍能存宋本之舊』。該版本序、跋最全，存本亦少，對於考察醫説的版本源流以及校勘均有重要價值。

栖芬室藏書中，有不少和刻本中醫典籍，本次選編的熊宗立新編名方類證醫書大全爲這類書的代表，該書刊刻於日本大永八年（一五二八），是目前已知的日本翻刻的第一部中國醫籍，也是日本博多本的代表作，本身具有很高的版本價值。其底本是明成化三年（一四六七）熊氏種德堂刻本，翻刻本連原刻本的牌記都原樣照刻，而原刻本國内已無存。有學者曾將該翻刻本與日本藏明成化三年原刻本對比，認爲二者的版式、行款俱同，從該和刻本還可以窺見原刻本之面貌。該和刻本後有日本著名學者幻雲壽柱的校勘記，這是中日醫學交流的重要見證。

范行準先生因明季西洋傳入之醫學一書蜚聲學界，其藏書中亦不乏中西匯通著作，如徹賸八編・内鏡收載了一些西方傳入的解剖生理學知識，是現在所知最早的中西匯通醫書，國内僅兩家圖書館有藏，亦屬珍貴。近年來，該書引起學界關注，屢被引用，但對其系統的研究工作還有待開展。

栖芬室藏書中，還有一些醫學學術價值雖然不高，但却能據以了解醫學在市井平民間傳播方式的普及性書籍，繡像翻症即屬此類。關於該書，范行準先生曾在栖芬室架書目録按曰：『「翻症」之自來未聞，嘗殫思不得其解，頃重整書目，又觸及此書，忽悟「翻」乃「番」之借字，諸言霍亂由外番傳入，故亦稱「番痧」。而因患者嘔吐猝倒，北方稱爲翻倒，因有「翻症」之稱。』該書後附售賣各種成藥的名單，因而范行準先生『疑亦當時藥肆宣傳品』。書中用動物和人的形象表示疾病的症狀，如『烏鴉狗翻症』上方繪一鴉一狗，下方繪一跌倒地上、口吐穢物的病人。文字則書寫症狀、治法，形象生動。中國中醫古籍總目收載有該書的三種版本，最早爲同治年間刊本，本次影印者爲更早的咸豐元年文林堂刻本，爲中國中醫古籍總目所漏載。

在第一輯的前言中，我們已對范行準先生和棲芬室藏書做了介紹，但是在本項目即將完成之際，仍情不自禁感念先賢保存中醫古籍的豐功偉業。范行準先生出身貧寒農家，本是放牛娃，斷續讀過兩年小學，靠自學考入上海國醫學院，在師友接濟下才得以完成學業。寒門子弟，本應與藏書家的名號無緣。但是，范行準先生對醫史文獻研究産生了濃厚興趣，爲此他開始搜求醫籍，以供學術研究之用。抗日戰争爆發後，珍貴圖書散落市井，他又『念典章之覆没，感文獻之無徵』，終日流連於書肆冷攤，節衣縮食，不惜典當借貸，購買醫籍，竟憑一己之力，使大量珍貴醫籍免遭兵燹之厄，存留至今，爲我們所用。

范行準先生是公認的藏書家，但他却不願以此自詡，他説：『有人曾經稱我爲藏書家，老實説我是不太喜歡這個詞的，我認爲「書」是供人閱覽和參考，而决不是讓人來觀賞的，否則無論多麽珍貴的書都會成爲一堆毫無價值的廢紙。』中國傳統的藏書家往往將自家藏書作爲案頭的清供與把玩件，不輕易示人，但范行準先生則視『書物爲天下公器』，在自己頭腦尚清醒之時，即將棲芬室藏中醫典籍悉數獻出。這些藏書不僅價值連城，而且耗費了他畢生心血，亦讓他在感情上難以割捨。他説：『這些書籍跟隨了我三十餘年，它們和我朝夕相處，是我的良師益友，我也把它們當作自己的孩子來愛護，現在讓我一下子離開它們，我心中自然是异常地難捨難分，但是在我有生之年能够看到我酷愛的書籍將爲整個社會、整個中醫事業做更大的貢獻時，我感到無限的幸福和光榮。』

『爲整個社會、整個中醫事業做更大的貢獻』是范行準先生生前的崇高願望，栖芬室藏中醫典籍精選的整理出版，正是以實際行動繼承范行準先生的遺志，以期爲發展中醫藥事業貢獻力量。

栖芬室藏中醫典籍精選總計三輯，它能够順利出版，有賴國家古籍整理出版專項經費的資助，中國中醫科學院中醫藥信息研究所領導和各位專家的支持，以及古籍研究室同事和北京科學技術出版社編輯的辛勤工作。在此一并致謝！

牛亞華

二〇一七年十一月九日於中國中醫科學院

目録

栖芬室藏中醫典籍精選·第三輯

徹賸八編·内鏡

提要　牛亞華

内容提要

徹賸八編・内鏡，劉思敬著，是一部有關醫學以及養生的著作。

劉思敬，明末清初南京人，字純之，號覺岸，又號碧幢山隱。順治四年（一六四七）進士，順治七年（一六五〇）任刑部郎中，順治十三年（一六五六）由刑部郎中升任廣西布政使參議，分守左江道。康熙二十二年（一六八三），總督丁成龍、江蘇巡撫余國柱、安徽巡撫徐國相，廣徵所屬州縣新舊各志等文獻，開局於江寧修纂江南通志，『延聘在籍儒臣及文人宿學通達、治禮諳悉典故者』承擔編寫工作，劉思敬與倪粲、朱之翰、史秉直等江寧籍人士參與了修纂。可見此時他已辭官歸里。

現在所知，劉思敬的著述有刍詢録、覺岸先生遺稿、徹賸八編等數種。據相關資料，刍詢録爲八種，現僅存存徵上、下二卷，康熙六年（一六六七）由周亮工序刊，該書紀其同里前輩之行事，前有小序曰『著存徵第七』，可見，『存徵』爲刍詢録的第七種。覺岸先生遺稿爲八股制文，被收入俞長城選評可儀堂一百二十名家制義，并給予很高評價：『本朝傳文，首推鐘陵（熊伯龍），間及克猶（劉子莊），己丑以前勿道也。余來金陵，張子照人索覺岸先生文示余，幽深峭拔，自開生面，似不在鐘陵以下。余嘗謂天啓之文深入而失於太苦，崇禎之文暢發而失於太浮。深不至苦，暢不至浮，覺岸其得啓禎之精神者乎？』可見其八股文的功力深厚。徹賸八編也僅存内鏡上、下二卷。

徹賸八編・内鏡的版刻風格與刍詢録・存徵完全一樣，顯係出自一家，當爲康熙年間早期刊本。該書前有吴焕然書『讀内鏡小言』，曰：『覺岸先生天資高穎，學窮二酉，又復精研乾竺典墳，蝶夢丹鉛者有年。』知劉思敬專心佛、道諸家經典，且『宦成力學，儼然寒士，鷄窗即博，游名山大川，以滋長其學問』，『而鉛塹時勤，數十年筆墨，勒成徹賸八編，上窮日月星辰，下究山川疆域，遠稽邃古聖賢，邇志近今者碩，顯徵帝王卿相，隱析陰幽神鬼，一切可驚、可愕、可喜、可慕之事，無弗臚陳錯列簡册間』。由此可知，劉氏爲官時仍勤奮讀書著述，其徹賸八編是一部包羅天文地理、人文社會的百科全書式著作。又據内鏡小引知，内鏡是徹賸八編中的第四種，專論人身的營衛周流、呼吸升降之事，『尤爲身心性命喫緊』的問題。吴焕然認爲，該書對於『學士大夫，以及農工商賈，手此一編，以自照，豈獨兹生在雲霄之上哉』！

内鏡分上、下兩卷，共有八個篇章。上卷有：敬身格言、四大爲身論、頭面臟腑形色觀三篇。『敬身格言』篇主要引用孔子、老子的言論，魯哀公與孔子的問對，黄帝以及宋明學者、理學家晁文元、楊慈湖、程明道、王陽明、王龍溪關於惜身養性的言論，還摘録了春秋繁露、素問等典籍的相關内容和養生事例。此外，書中還穿插有吴焕然的數則評論。『四大爲身論』則以地、水、火、風爲構成人體的四個基本元素，引用方以智物理小識的相關論述，又以本草綱目以及祝茹穹、繆仲淳等醫家的相關論述爲佐證。『頭面臟腑形色觀』是該書内容較爲豐富的一個篇章，主要論述臟腑與頭面五官之間的對應關係，涉及不少臟腑的解剖生理學知識；引用有煙籮子五臟圖、楊介存真圖、華佗内照圖、黄帝内經、蠡海集以及道家書中的相關內容，并附肺側圖、心氣圖、氣海膈膜圖三幅解剖圖，以及河車逆流圖等兩幅道藏圖。值得注意的是，書中引用了方以智物理小識中關於腦的論述以及『人身三貴』的內容。可見劉思敬接受腦爲思維之府的觀點。該書還引用了湯若望主制群徵中有關神經解剖生理的許多內容。

卷下有『診候微商』『奇經八脉』『五運六氣標本説』『考證』『取鑒』五個篇章。『診候微商』主要討論診脉法與脉象及身體變化之關係。引用之内容既有黃帝内經、傷寒論、脉訣典籍的觀點，又有王肯堂、祝茹穹、李時珍等醫家的相關論述。『奇經八脉』論述人體的脉絡分布與走向；『五運六氣標本説』講述運氣的概念及其與疾病的關係。『考證』則對内景經解釋不確的内容進行考釋；附有三十八例前賢奇疾驗案。『取鑒』匯集了二十餘條前人修身養性之言行，以資借鑒。

縱觀全書，涉及儒、佛、道和西學等多方面内容，作者試圖用各家學説相互印證，闡明修身養性的重要性和可行的方法。該書的價值在於作者融合了東西方醫學内容，反映了西學東漸對明末清初學者的影響，尤其是對人體觀的影響。該書成書早於醫學原始，當爲最早的中西匯通醫書。

該書在史志書目中罕有記載，僅知趙彥輝存存齋醫話稿有引用手抄本，可見其流傳不廣。但是，近年來該書屢屢被中醫論著引證，所引内容多爲書中的西方解剖生理學知識，如『腦之皮分内外層，内柔而外堅，既以保全體氣，又以肇始諸筋，筋自腦出者六偶，獨一偶逾頸至胸，下垂胃口之前，餘悉存頂内，導氣於五官，或令之動，或令之覺。又從脊髓出筋三十偶，各有細脉旁分，無膚不及。其與皮膚接處，稍變似膚，始緣以引氣入膚，充滿周身，無弗達矣。筋之體，瓤其裏，皮其表，類於腦，以腦與周身聯繫之要約』等，以及其他有關腦神經的内容。這些内容本爲劉思敬引湯若望和方以智書中的文字，是傳入中國的西方解剖學知識，但是却被誤作劉思敬的獨創加以引用，并以此證明中醫學家對腦神經的認識已經與實際或者是西方很接近了。這顯然是由於不了解中西方醫學交流史所致，特此提醒讀者閱讀時加以注意。

徹賸八編・内鏡現存本亦少，僅范行準先生栖芬室（現歸中國中醫科學院圖書館）和雲南中醫學院圖書館有藏，彌足珍貴。

牛亞華

徽臢八編

内鏡上

徽臢八編本

讀內鏡小言

人之生也外有陰陽沴戾風雨寒暑內有情欲嗜好食飲寢處引之上升雲霄者百無一人引之下墜淵海者十有八九昔李屏山之言曰古之博大眞人澹

然獨與神明俱與聖人洗心退藏吉凶與民同患者雖若不同而實同也瞿曇氏夢幻其身塵垢其心倜焉高舉于天人之表獨示天下後世以妙湛元明眞如自性與中國聖人之言不必全同乃

自貴其生則無不同也衆人知貴生而不知所以養生之道故爲生之所累至人知養生之道本於無生故能視生無生無生而生生無物累也嗟乎今有人於此目爲色累耳爲聲累至於心爲七

情六欲累累多則生苦豈惟生苦死更苦三教聖人能自救兼能救人其說散見於古今內外諸書世人不盡窺也即窺一二而未能攬其要挈其樞也覺岸先生天姿高頴學窮二酉又復研精竟

笠典墳蝶夢丹鉛者有年巳卯之役與
余同寓秦淮之邀笛步入闈廿三藉援
筆立就而精神笑語不異平時知陰陽
沴戾風雨寒暑情欲嗜好食飲寢處不
能累其上升雲霄之氣也宦成力學儼

然寒士雖窮卽博遊名山大川以資長
其學問而鉛槧時勤數十年筆墨勤成
徹賸八編上窮日月星辰下究山川疆
域遠稽邃古聖賢邇誌近今耆碩顯徵
帝王卿相隱析陰幽神鬼一切可驚可

愕可喜可慕之事無弗臚陳錯列簡册間高者嗅其神氣甲者拾其香草均有裨益當世不獨自修胸中之淹雅已也乃其中內鏡一帙尤爲身心性命臾繫學士大夫以及農工商賈手此一編以

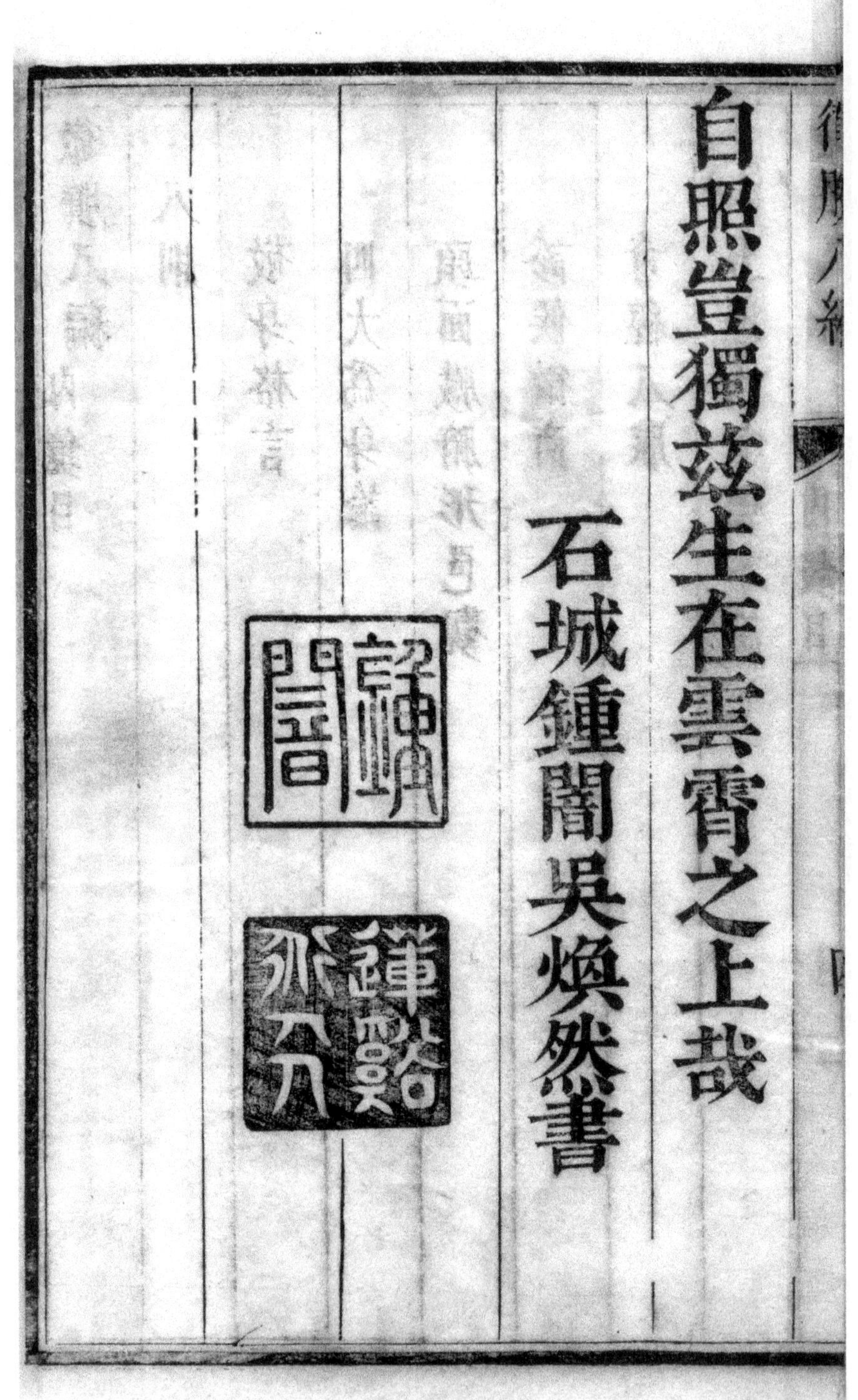
自照豈獨茲生在雲霄之上哉

石城鍾闇吳煥然書

徹賸八編內鏡目

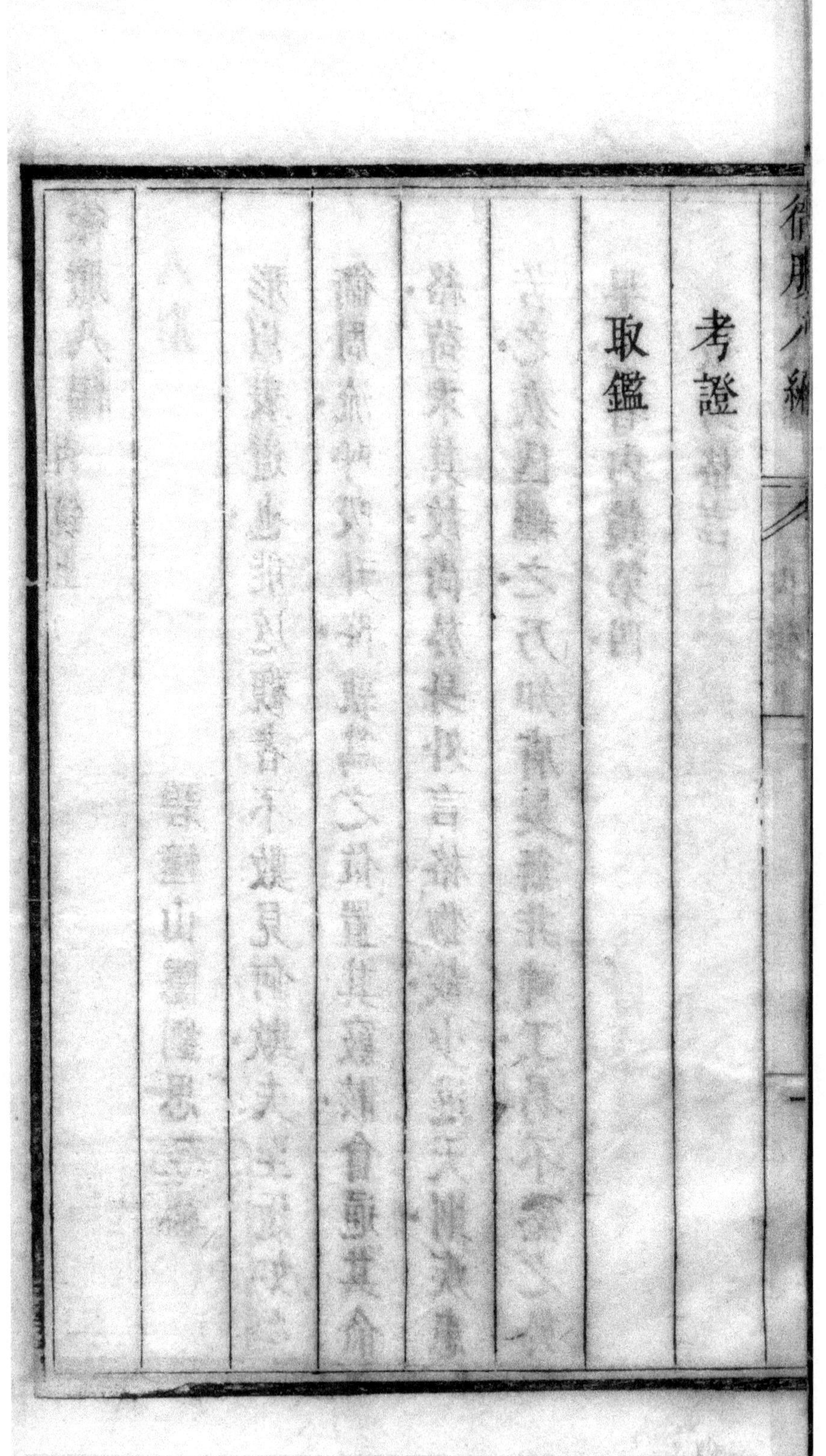

考證

取鑑

徹賸八編　內鏡上

碧幢山隱劉思敬輯

形以表道也。能返觀者不數見，何歟？夫至近如榮衞周流，呼吸升降，孰爲之位置其竅骸，會通其俞絡？苟求其故，尚於身外言格物哉？少違天則，疾患苦之，夙凶繼之，乃知膚髮無非神工，曷不鑒之於早也？著內鏡第四。

敬身格言

蠡測曰伏羲畫卦專以形容吾心之萬事萬物而已一身之中頭目鼻舌手足肩背喜怒哀樂生死夢寤出處進退禍福吉凶以至天地古今寒暑晝夜卦之畫以形容莫非吾心中事心中物也畫有所從起圖之虛中乃從起之原虛中無有名字孔子強名之太極虛中無有一物周子特標以無極無極而太極即吾心是也心非知識思慮之謂也伏羲欲使人覽圖而知一切皆備於我

黄帝曰精神入其門骨骸反其根我尚何存

周海門曰軒轅之道精湊此數語見列子書他見於諸子中良多而人頗疑之故不具采若素問等書固不足以當之也

文王繫艮曰艮其背不獲其身行其庭不見其人无咎人之精神盡在乎面故皆動乎意逐乎物失本有寂然不動之性故聖人教以艮其背使面之所向耳目鼻口手足之所爲一如其背則得其道矣雖動用

交錯擾擾萬緒未始不寂然矣苟艮其面雖止猶動知其動而強止之終不止也惟艮其背前如後動如靜寂然無我不獲其身雖行其庭與人交際實不見其人矣是之謂止其所止其所者止於無所也使有我則有所矣先儒謂震艮二卦乃聖人道問學之大事

孔子曰分於道謂之命形於一謂之性化於陰陽象形而發謂之生化窮數盡謂之死人始生而有不具

者五焉目無見不能食不能行不能言不能化及生三月而微煦然後能見八月生齒然後能食三年顋合然後能言十有六而精通然後能化陰窮反陽故陰以陽變陽窮反陰故陽以陰化

又曰心之精神是謂聖尚書大傳

何棠曰七字乃三教宗語

魯哀公問曰有智者壽乎孔子對曰然人有三死而非其命也人自取之寢處不時飲食不節勞佚過度

者疾共殺之居下位而好干上嗜欲無厭求索不止者刑共殺之少以犯衆弱以侮強忿不量力者兵共殺之此三死者非其命也人自取之又曰不謹其前而悔其後嗟乎雖悔亦無及矣詩曰惙其泣矣何嗟及矣此之謂也

哀公問曰吾聞忘之甚者徙而忘其妻有諸乎孔子對曰此非忘之甚也忘之甚者忘其身說苑

子夏曰易之生人及萬物各有奇耦氣分不同而凡

人莫知其情惟達德者能原其本焉倮蟲三百有六十而人爲之長此乾巛之美也殊形異類之數王者動必以道動靜必以道靜必順理以奉天地之性而不害其所主謂之仁聖

聖賢無不本諸身者夫子常道一箇巳字如修巳由巳求諸巳此學脉也平日自述每每不離吾字道曰吾道憂曰吾憂當時惟顔子博我約我曾子吾省吾身漆雕開吾斯未信直透斯旨後來孟子常道一箇

自字如自得自取之類蓋其宗也學不反求諸身即非孔孟之徒 聖學宗傳

春秋繁露曰身猶天也數與之相參故命與之相連也天以終歲之數成人之身故小節三百六十六副日數也大節十二分副月數也內有五藏副五行也外有四支副四時也乍視乍瞑副晝夜也乍哀乍樂副陰陽也心有計慮副度數也是故陳其有形以著其無形者道之以類相應猶其形也以數相中也

又曰循天之道以養其身謂之道天有兩和以成二中歲立其中用之無窮北方之中內產陽而物始動於下南方之中內萌陰而物始養於上動於下者不得東方之和不能生中春是也養於上者不得西方之和不能成中秋是也生於和成必和始於中止必中中者天地之所始終和者天地之所生成也夫德莫大於和而道莫至於中中者天地之美達理也聖人之所保守也陰陽不盛不合是故陰陽之會冬合

北方而物動於下夏合南方而物動於上上下之大動皆在日至之後爲寒則凝冰裂地爲熱則焦砂爛石氣之精至於是一歲四起業而必於中中之所爲而必就於和天地之道雖有不和者必歸之於和而所爲有功雖有不中者必止於中而所爲不失日月長短不得過中天地之制也去其羣泰取其衆和法天地之美以養其身鶴無死氣是故食冰猿好引木故氣四越君子甚愛氣而游於房以體天也

邵堯夫曰天地之道備於人萬物之道備於身衆妙之道備於神天下之能事畢矣又何思何慮

周濂溪曰人身呼吸之氣便是陰陽軀體血肉便是五行其性便是理

陸子靜曰人氣稟清濁不同只自完養不逐物即清明纔一逐物遂昏矣

又曰人心有消殺不得處便是私意便去引文牽義牽枝引蔓牽今引古爲證爲靠如雞氄終日縈縈無

超然之意須是一刀兩斷縈縈的討箇甚麼

又曰世人只管理會利害皆自謂惺惺及他巳分上事又却放過豈知名利如錦覆陷穽不辨箇大小輕重無鑒識些小事便引得動心至於天來大事却放下着 淺之爲聲色臭味進之爲富貴利達又進之爲文章技藝又一般人都不理會却談學問吾總以一言斷之曰勝心

程明道曰醫書以手足風頑謂之四體不仁爲其疾

痛不自知也夫手足在我而疾痛不與知焉非不仁而何世之忍心無恩者其自棄亦若是而已

又曰草木土在下因升降而食土氣動物却土在中脾在內也非土則無由生

人有四百四病皆不由自家則是心須教由自家

又曰未知道者如醉人方其醉時無所不至及至醒也莫不愧恥人之未知學者自視以爲無缺及既知學反思前日所爲則駭且懼矣

朱元晦曰若學不切已自家一箇渾身自無處着雖三魂七魄亦不知下落何待用時方差

又曰人與天地並立爲三自家當思量天如此高地如此厚自家七尺血氣之軀如何會並立爲三元來固有之性不曾見得則雖具人衣冠其實與庶物不爭多

楊慈湖曰自生民以來未有能識吾之全者天清地寧吾之清寧也不以天地萬物萬化萬理爲已而惟

執耳目鼻口四肢爲己是剖吾之全體而裂取分寸之膚也姑即六尺軀而細究之耳目視聽所以視聽者何物手足持行所以持行者何物血氣周流所以周流者何物不可得而見也是不可見者在視非視在聽非聽在持行非持行在周流非周流思慮如此不思慮如此晝如此夜如此寤如此寐如此聖人如此衆人如此自有而不自察也

王龍谿曰一陰一陽之謂道乾屬心坤屬身心是神

身是氣身心兩事卽火卽藥元神元氣謂之藥物元氣往來謂之火候神專一則自能直遂性宗也氣翕聚則自能發散命宗也真息者動靜之幾性命合一之宗也大生云者神之馭氣也廣生云者氣之攝神也天地四時日月有所不能違焉不求養生而所養在其中矣

又曰人之息與天地之息原是一體相資而生仁者與物同體息爲化生之原入聖之微機也孟子言曰

夜所息息者止息也生息也纔止息卽有生息之義是以大生廣生動靜之間惟一息耳邵子亦謂天地人之至妙至妙者也修士以呼吸定息爲捿天地之根荄言養而無害塞乎天地之間也人能從此一息保合愛養不爲旦晝所牿亾終日一息也日至月至日月一息也三月不違三月一息也九年不反九年一息也推而至于百千萬年百千萬年一息也是爲至誠無息之學

參贊論曰身者親之身輕其身是輕其親矣安可不知所守以全天年而盡事親之大乎故曰天元之壽精氣不耗者得之地元之壽起居有常者得之人元之壽飲食有度者得之道書曰人本來純乾十五至二十虧而爲姤加十歲焉爲遯又加十歲焉爲否至此乃天地之中氣又不知所養加五歲焉爲觀又加五歲焉爲剥剥惟上九一陽而已經曰有一爻陽氣者不亦又不知懼則元炁盡矣純陰爲坤名曰苟壽

苟壽之人榮衛浮寄如枯葉待風而隕可不思所以復乎復而臨而泰而大壯而夬行天之健應地無疆收之桑榆古有行之者經曰百二十年猶可還

趙一蒼曰素問生氣通天論營氣不從之營與靈樞營氣之營字同其餘皆書榮字蓋古營榮通用大意當以營字爲是蓋陰氣在內如將軍之守營陽氣在外如士卒之衛外史記云以師兵爲營衛素問陰陽應象大論曰陰在內陽之守陽在外陰

之守其義曉然矣

又曰壽者𭠎也壽有短長由養有得失自行可久之道者其壽𭠎於久自行不可久之道者其壽亦𭠎於不久黃帝曰天未嘗夭人人自夭耳味此而壽夭之故思過半矣

人壽不過百歲數之終也然漢竇公年一百八十晉趙逸二百歲元魏羅吉一百七歲總三十六曹事精爽不衰至百二十乃卒洛陽李元爽百三十六歲顧

思遠一百十二歲食兼於人頭有肉角穰城有人二百四十歲惟飲曾孫婦乳荊州張元始一百一十六歲膂力過人飲食如少壯范明友鮮甲奴二百五十歲梁鄱陽王友僧惠照至唐元和中猶存年二百九十歲日本紀武內年三百七歲金完顏氏醫姥年二百許歲此皆正史所載其他稗官小說若宋卿党翁之類又不可勝數盡其道而死踰百年亦其常耳有老翁善河圖數謂李若虛言世人無圖數俱盡而

疢者第犯疢疢道甚多纔有所中即疢耳翁朴茂自守危坐終日路遇婦女輒掩面驟步而去生平無不可對人言年躋上壽不言姓名人莫之測

管敬仲曰形不正者德不來中不精者心不治魚鼈不食餌者不出其淵樹木之勝霜雪者不聽于天故曰毋以物亂官毋以官亂心此之謂內德

又曰一人兩心其內必衰毋代馬走毋代鳥飛毋先物動以觀其則虛其欲神將入舍掃除不潔神乃畱

處大道可安而不可說故必知不言無爲之事然後知道之紀殊形異勢不與萬物異理故可以爲天下始君子不怵於好不迫乎惡恬惔無爲去智與故其應也非所設也其動也非所取也無爲之道因也因也者無益無損也因也者舍己而以物爲則者也

則天末年益州一老父挈壺城中賣藥得錢即轉濟貧乏自飲淨水治疾無不愈每遇有識者必告之曰人身如一國也人心即帝王臟腑即宰輔九竅即羣

臣故心病則內外不可救何異君亂於上臣下不能止之乎欲身無病必須先正其心不使氣索不使狂思不使嗜慾迷惑則心先無病心無病則餘臟腑雖有病不難治外之九竅亦無由受病也況藥有君臣佐使或攻其病君先臣次然後用佐用使自然合宜如失其序必自亂也又何能救病此猶國家任人也老夫常以此為念每見愚者一身君不君臣不臣使九竅之邪恣納其病以至于良醫自逃名藥不效猶

不自知悲夫士君子記之老父忽一日獨詣錦江解衣淨浴探壺中唯遺一丸藥自吞之謂衆人曰老夫謫罪已滿今却歸島上俄化爲一白鶴飛去其衣與壺並没於水。李隱瀟湘錄

晁文元嘗問劉海蟾以不死之道海蟾笑曰人何曾死而君乃畏之求生乎人所死者形耳不與形俱滅者固常在也然必能踐形而後知所以不死

天地相去八萬四千里自天以下三萬六千里應三

十六陽候自地以上三萬六千里應三十六陰候所謂天上三十六地下三十六中間一萬三千里乃陰陽都會之處天地之中也人身心腎相去八寸四分自心以下三寸六分屬陽自腎以上三寸六分屬陰中間一寸二分乃水火交媾之鄉人身之規中也虛閒空洞元神所居卽所謂眞土也外則應兩眼所以眼爲飛土人生則此神存故目光明人死則此神去故目光滅

皇極經世云冬至之後爲呼夏至之後爲吸蓋冬至後陽長陰消舒萬物以出也夏至後陰長陽消斂萬物以入也以一日言子以後爲呼午以後爲吸天之一年一日僅如人之一息是以一元之數十二萬九千六百年在太化中爲一年而巳古人云以時易日法成功一日有一萬三千五百呼一萬三千五百吸一呼一吸爲一息神工密運則一息之間潛奪一萬三千五百年之數一年三百六十日四百八十六萬

息潛奪四百八十六萬年之數

道光曰自天而下計八萬四千里冬至之日地中一陽升一日之中升四百六十六里零二百四十步五日爲一候升二千三百三十三里零一百二十步三候爲一氣升七千里三氣爲一節其卦屬泰卽立春之日也升二萬一千里二節爲一時計九十日陽氣共升四萬二千里正到天地之中是春分之節其卦屬壯陰中陽半其氣變寒爲溫萬物發生之時也自

此而後陽氣升入陽位亦如前升九十日過前共一百八十日爲夏至之節陽氣共升八萬四千里而到天是時陽中之陽爲純陽屬乾卦其氣變溫爲熱萬物茂盛之時其陽盈滿天地之間故曰盈也陽極則陰生故夏至一陰自天而降亦如前十五日陰氣下降七千里三氣爲一節至四十五日立秋節陰氣下降二萬一千里其卦屬否二節爲一時計九十日陰氣下降共前四萬二千里正到天地之中是秋分之

節其卦屬觀陽中陰半其氣變熱爲凉萬物結實之時也自此而後陰氣降入陰位亦如前漸降九十日共前一百八十日爲冬至節陰氣共降八萬四千里而到地是時陰中之陰爲純陰坤卦也其氣變凉爲寒萬物收藏之時也故曰虛也天地盈虛因月而見月從日生以月晦朔爲冬至三日震庚月華生光以兩日半三十時當一氣之候八日兌丁上弦應春分節陰中陽半也十五日乾甲周滿陽魂盈輪純陽無

陰故曰盈也比夏至節十六日巽辛一陰生也二十三日艮丙下弦應秋分節陽中陰半也三十日坤乙消盡明光陰魄盈輪純陰無陽故曰虛也比冬至節聖人消息天地盈虛之機以循環升降而不息四陽二陰二月之卦也青龍用事陽長陰退其陽雖多而有餘陰陽多爲德餘陰主殺是以三春萬物並生而榆莢墮落者德中有刑也如人之方壯陽多陰少日旺一日却于此時慾火太熾其陽雖多皆爲陰

消縱有餘陽不能主宰百病來侵將及陽脫猶復念念在于色慾儘力求陰餘陽遇陰悉皆消脫卒然而亾此之謂德反爲刑也若是上智乘其餘陽以爲階梯急求至道是之謂刑德並會如四陰二陽八月之卦也白虎用事陽爲陰消其陰雖多尚有餘陽陰多爲刑餘陽主生是以三秋萬物將零而薺麥乃生者刑中有德也

金生于巳旺于酉木生于亥旺于卯金主刑木主德

卯酉為二八之門乃日月出入之路陰陽晝夜之分也春秋平分之時陰中有陽陽中有陰八月麥生陰中有生氣二月榆莢死陽中有殺氣也故月令云日夜分必順其時慎因其類方書卯酉沐浴專氣致柔無為恬澹使冲和元陽充塞于天地焉

天河自尾箕寅位注于東井而循環于天地之間古人云水出崑崙之下從尾閭復上謂之天河人之河亦自尾閭尾閭係寅位泝流而上崑崙與天地同焉

乾爲天門巽爲地戶地戶卽下田是也故風曰巽風以其起於下也起巽風運坤火俱在下田

陛平泉曰心腎之交與天地準人自子至巳則腎生氣自午至亥則心生血陽生于子而地氣上升至巳而亢陰生于午而天氣下降至亥而極人身肖天地也

卯者冒也陽氣冒地而出建二月卦則自泰而之大壯外卦坤變爲震月令雷始發聲蟄虫啓戶故曰卯

爲天門人之朝氣鋭以此

又曰寒暑天地間一大氣萬物所同也人于其間起欣厭避就不知人之一心方與物交欲惡起而攻之如焦火凝冰惱安樂性此之謂内寒暑皆自甘戕賊不知所避

三部八景自尾閭至百會三節爲一關三八二十四節以應二十四氣

王逵曰一呼一吸人之一息也而天行八十餘里人

一晝一夜一萬二千五百息天則行九十餘萬里人息與天行齊一有愆焉始爲衆病所襲矣

每月弦望晦朔海水隨爲消長亦如人身一日一夜血氣一朝于顖門昔有修士自聞血氣自踵至頂奔走腠理蔌蔌之聲如羣蟻相緣五臟六腑轉動聲響內外相應見乎四體達于聽官久之又徐徐散解聞寂無聲世人但知候潮汐于江海耳

元炁生於壬應於子先自膀胱下動於癸而精炁亦

動於丑二炁俱下沉大作於寅艮之時寤則元炁自回而精氣不能全歸於命門矣寅時不動則能固養生源邵康節曰何者謂之機天根理極微今年初盡處明日起頭時此際易得意其間難下詞

愚夫不達此消息每於子艮之際徒以濟慾使初復之微陽盡爲斧斤所伐則所謂夜氣不足以存者又豈待旦晝之所爲哉悲夫

王陽明曰吾人一日間天運都經過一番只是人不

覺耳夜氣清明時無視無聽無思無爲淡然無懷就是羲皇世界平旦時神氣淸朗雍雍穆穆就是堯舜世界日中以前禮儀交會氣象秩然就是三代世界日中以後神氣漸昏往來雜擾就是春秋戰國世界漸漸昏夜萬物寢息景象寂寥就是人消物盡世界學者致得良知不爲濁氣所亂便常做箇羲皇以上人

刻刻能觀未發前氣象便是羲皇上人昔人云起

早夙遲。以其與天地清淑之氣相接也。起遲夙早。以其不及受清淑之氣也。鍾閶

陳省公曰：火麗于木，麗于石者也。方其藏于木石之時，取木石而投之水，水不能克火也。一附於物，即童子得而熄之矣。此言殊醒發。今人動念即着事物，可不寒心。

八歲曰：心上有刃，君子以含忍成德；川下有火，小人以忿怒災身。

應璩詩昔有行道人陌上見三叟年各百餘歲相與鉏禾莠住車問三叟何以得此壽上叟前致詞室內姬粗醜中叟前致詞量腹節所受下叟前致詞暮臥不覆首要哉三叟言所以能長久言雖俚近所謂苟得其養也

鍾閶曰此雖邇言含義甚深一言養精一言養氣一言養神暮臥不覆首人多忽視不知清陽上升之神空妙輕揚於首以愚痴重濁之氣蔽之皆覆

之之類也浚川司馬曰臥不覆頭長壽以常有天

地清氣入腹也

宋李昌齡樂善錄云人於胞胎中三元育養九炁結形然後得成爲人若非三元所育九炁所導及九天司馬不下命章皆莫能生一月受鬱單無量天一黃演之炁二月受上上禪善無量壽天洞宾紫戸之炁三月受梵監須延天長靈明仙之炁四月受寂然兜術天碭戸冥濆由之炁五月受波羅蜜不驕樂天五

仙中靈之炁六月受洞元化應聲天高眞冲融之炁七月受靈化梵輔天高仙洞笈之炁八月受高虛清明天眞靈化凝之炁故一月精血凝而爲胞二月形兆坯而爲胎三月陽神爲三魂四月陰靈爲七魄五月五行分臟六月六律定腑七月七精開竅八月八景具神九月宮室羅布十月氣足聲尚神具九天稱慶太乙執符帝君品命主籙勒籍司命定算五帝監生聖母衛房天神地祇三界備守九天司馬在庭皆

所以主其生成者也。因其不淨而成胞胎。神旣入胎。四種始立。堅凝爲地種。軟濕爲水種。煖熱爲火種。氣息爲風種。使地水火三種雖立。非風種關通其中。則兒形莫得長。故自一七日至三十有八日。于胞胎中。自然生三十二種風。關通整合。使筋脈肌膚。機關孔竅。皆得流通。於其中間。第十七日。又復一次。盖短座之風。吹令暴卒。以堅強之。普門之風。吹整其體。足其音聲故也。如此在胞胎中。凡十箇月。處母生臟之下。

熟臟之上五繫自縛如在革囊如在羅網起不淨想瑕穢想牢獄想幽冥想起如是想晝夜悽惶急欲起出母食多食少太膩無膩太熱太冷色慾過度當風差久游行馳走有所度越凡此之類兒皆不安亦復受諸苦惱及生時落地之苦亦如之哉以衣受哉以衾受皆切楚痛當其欲生未生之際使非何所垂超之風吹令頭下足上以向生門則母子往往兩皆不保

鍾閭曰人身難成如此可不思尊貴寶愛之乎今人與之言理學則目爲腐與之言佛法則訾爲異端與之言道教則斥爲守屍鬼頑獷放恣不可救藥覺岍直與言此身之鄭重若此凡有身者尚甘自暴棄乎尚敢自褻越乎對此可惕然思懍然悟矣

老子曰生之徒十有三死之徒十有三人之生動之死地十有三夫何故以其生生之厚王弼注未暢蘇

子由謂生死之道以十言之三者各居其三矣豈非生死之道九而不生不死之道一而已乎老子言其九不言其一使人自得之以寄無思無爲之妙 異聞錄

病也者所由適于死之路也欲也者所由適于病之路也邇聲色也者所由適于欲之路也

素問曰精神守內病安從來

慈山曰虎狼食身色慾食性

人所寶惟身凡有貪愛皆以養身也藏鏹積璧身外

物耳尚恐盜之膚撓目逃皮毛之末耳尚恐傷之至於骨中精髓所賴以存活其珍重豈外物皮膚可比乃爲色魔所刦而不知避且甘之如飴豈非至愚至不肖之所爲哉

眼視耳聽手持足行无非化工人每不知寶愛予一夕有腰膂之痛晝艱步履夜艱展轉始歎平日屈伸自由豈是易事一向忽略放其心暴其氣辜負多矣

鍾闇曰覺岓猶謂放其心暴其氣則不放不暴豈

易言哉。

心如王城尊貴無比乃一日百誘欺之辱之沸湯飲爐炙之窨署幽械囚之使心王降而爲青衣行酒之事安得不激現鬼畜三塗也然攻心者初非外患秪是家鬼弄家神更可笑矣曾子三省瑞巖頻喚主人公爭得不如此

采芝堂薏說曰蓮結蓮房中含蓮實味甘而中虛亦如人心之虛靈也中生苦芽其名曰薏薏者意也食

之令人煩懣心本無生意逐妄有有意則種種煩惱因之而起常人於樂境曰得意苦境曰失意心無得失其妄以爲得失者意耳常情謀事曰我意如此汝意如何心無爾我其妄以爲爾我者意耳近取諸身遠取諸物已了然矣然剖蓮實者去薏懼其苦也求放心者終迷於意而不以爲苦何哉

此聖凡分路之大關若能不墮毒海方稱男子大學十傳文法如所謂修身在正其心者之類唯誠

意章則不曰所謂正心必先誠其意者而但云毋自欺也已是八字打開單提明德本體不欲人墮意識中也意識用事如膠入漆不知不覺惑以終古然實不能瞞自己一毫十目十手正是本來明體放光動地意起意滅不啻燭照而數計如此分明乃猶任意顛倒豈非自欺

列子廢心而用形謂對接世物止用形迹而已其心則泊然不動也

程伊川以忘身狥慾爲恥雖至七十而筋力不減於盛年

養生要言曰多思則神散多念則心勞多笑則臟腑上翻多言則氣海虛脫多喜則膀胱納客風多怒則腠理奔浮血多樂則心神邪蕩多愁則頭面焦枯多好則智氣潰溢多惡則精爽奔騰多事則筋脉乾急多機則智慮沉迷茲乃伐人之生甚於斧斤食人之性猛於豺虎心內澄則眞人守其位氣內定則邪物

去其身

每朔旦之前月與日會于箕斗之次箕斗爲艮艮卦

陰侵陽也號曰鬼路月每至此而失其明故曰喪朋

亦若世人順行陰陽五行生老病死寒暑代謝也

世界內事如氷山如蜃氣樓臺如渴鹿陽燄如夢中

境原非實有而以取舍妄想日與爲緣如輪不息此

人生不解之大惑易曰利用金柅庶爲輕省

蚓無筋骨爪牙之利而意之所到盤旋曲折每有安

居蟹六跪二螯無託身之所而寄頓於蛇蟺之穴蚓惟一心蟹有躁心也故曰目不兩視而明耳不兩聽而聰蒼頡之書后稷之稼羿善射造父善御自古及今未有兩而能精者故曰用志不分乃凝於神此可以知學矣

人患溺嗜欲耳亦有嗜欲輕者又患不聞道紫陽謂司馬君實韓稚圭如太山喬嶽秖是質美氣正而於聖學畢竟有間況其他乎於此揀辨得出方不負此

四大爲身說

凡有氣莫非天凡有形莫非地其在人身呼吸呵呬皆與天通骨骼膚肉卽與地合津血爲水煖氣爲火動轉爲風地水火風總名四大故浮山曰人肉自靈不專恃心矣所以觸之卽覺有故先跳皆靈之在膚者牛羊被殺試以耳就其角湒湒有聲炙黿猶嚙懸其肉無人而縱見人卽縮殺鱷而懸其首其齒自生豈有使之者乎畱書曰本於骨肉緣起心性物之相

啖者肉氣亦相制影之於形翳光而如其餘者也鍼灸以取神工或以起疾含沙而射短狐或以中人是則去身之物尚亦關身也耶

柯古曰寶歷中有王山人取人本命張燈相人影知休咎不欲照水照井及浴盆中蠼螋短狐蹋影蠱皆中人影爲害南史徐秋夫爲芻人鍼鬼薛伯宗徙癰疽爲氣封之徙置柳樹上異苑載王僕以水澆枯樹而鄭鮮之女攣遂愈近有人善灸人影

治病者而用術之士乃先以指藏毒藥向人痛處按之然後灸影則人膚上痛耳

人身小天地四大升降生息無刻有停無論臟腑之傳送停泄與風雨露雷相應卽皮毛之間一小筋皆有爲而生至於命根所托任督之脈玄牝之門與天地同天地內外莫載莫破宰人身者膚骨內外無歉無羸而究莫之測也是謂真宰 浮山小識

綱目曰水體純陰用則純陽上爲雨露霜雪下爲海

河泉井氣有流止寒温味有甘淡鹹苦是以昔人分別九州水土以辨人之善惡壽夭青原大智曰人身津液草木之汁皆水也一氣之所生也先天一生水爲眞陽而後天以形用則體陰二生火爲眞陰而附物乃顯則體陽上律天時凡運動皆火之爲也神之屬也下襲水土凡滋生皆水之爲也精之屬也六之成一雪六出可以徵矣水火一氣呵則爲水可以徵矣氣呵煖動而遇陰則水見雨亦如是也飲貧於水

食資於穀穀之精亦水也榮衛賴之水旋土中而浮於土面榮內衛外亦是理也麻知幾水解曰昔訪靈臺見銅壺漏馬太史名水司曰此水已三周環水滑則漏迅迅則刻差當易新水乃知水之性從地變質與物遷自別也南陽之潭漸菊遼東之澗通蔘晉產礬石泉可愈疽戎鹽伏硫湯可浴厲楊子宜荈淮萊宜膠滄鹵能鹽阿井能膠澡垢以汚茂田以苦癭消於藻帶之波痰破於半夏之茹冰水嚥而霍亂息流

水飲而癃閉通雪水洗目而赤退鹹水濯肌而瘡乾菜之爲虀鐵之爲漿麴之爲酒蘗之爲醋千派萬種言不可盡井水反酌而傾曰倒流出甃未落曰無根無時初出曰新汲將旦首汲曰井華一井水而其別如此行藥詎不擇哉有患小溲閉者衆不能瘥張子和以急流煎前藥一飲立溲卽靈樞治不瞑半夏湯用千里流水意也

茹穹子曰水性順其順者皆凡水惟糧泉由眞氣自

下丹田轉之逆行謂之聖水若掘井得泉湧出者皆有神使之如貳師將軍刺山於大宛戊巳校尉拜井於疎勒與夫卓錫投金濺珠粲玉之奇皆是也又如潮然皆奔躍飜騰而上故有萬馬突圍天鼓碎六鰲飜背雪山傾之勢謂潮有神者是也且泉之下必有氣爲之貫而後逆湧而上猶潮之將至其水面先有氣眼瀰漫蒸勃人身之水亦猶是也然水之逆不從氣之正者而逆斯逆之害旁門不知服氣之自然而

勉強閉塞以爲吸提反取病亾必如禹之治水平其逆之害會於海以逆還順而後水自歸墟轉輸而上運於不息以順還逆是謂得逆之利

時珍曰天之陽火二・太陽眞火也・星精飛火也・天之陰火二・石油之火・水中之火也・人之陽火一・丙丁君火也・心小腸離火人之陰火二・命門相火也・坎火也遊行三焦寄位肝膽三昧之火也・純陽乾火也諸陽火遇艸而焫・得木而燔・可以濕伏・可以水滅・諸陰火不燔艸木而流金石・得

濕愈燄以水折之則光燄詣天物窮方止以火逐之以灰撲之則灼性自消故善反於身者上體天下驗物則君火相火正治從治理昭然矣震亨曰太極動靜陰陽而生五行各一其性惟火有二曰君火人火也相火天火也火內陰外陽而主動者也以其名配五行謂之君以其虛無守位禀命因其動而可見故謂之相天恆動人生亦恆動皆火之爲也見於天者出於龍雷則木之氣出於海則水之氣也具於人者

寄於肝木腎水膽者肝之腑膀胱腎之腑心包絡者腎之配三焦以焦言而下焦司肝腎之分皆陰而下者也天非此火不能生物人非此火不能自生天之火雖出于木而皆本于地故雷非伏龍非蟄海非附於地則不能鳴不能飛不能波也肝腎相火猶是也東垣則以火爲元氣之賊何哉周子曰神智發矣五性感物而動卽內經五火也五性厥陽之火與相火相扇則妄動矣火起于妄煎熬眞陰陰虛則病陰絕

則叅君火之氣經以暑與濕言之相火之氣經以火言之蓋表其暴悍酷烈甚於君火也故曰聖人定之以仁義中正而主靜

岐伯歷舉病機十九而屬火者五諸熱瞀瘛諸逆衝上諸躁狂越諸禁鼓慄諸病胕腫疼酸驚駭皆屬於火是也劉河間云諸風掉眩屬肝風火也諸氣膹鬱屬肺燥火也諸濕腫滿屬脾濕火也諸疼癢瘡屬心鬱火也以陳無擇之通敏猶以煖溫爲君火日用之

火爲相火何哉浮山愚者曰丹溪言君火以名相火以位亦未暢也天與火同火傳不知其盡故五行尊火曰君畜覺發機曰相或以暑爲君火燥火爲相火或以暑燥火爲陽火風寒濕之火爲陰火或以有形爲陽火無形爲陰火或以知識爲陽火不知不識爲陰火有交機焉析說不能盡也人身命根種火在北下七節之小心知識用火在南上膻中之宮城眞氣伏于丹田淸濁分于腦府思慮憂鬱過用則傷慾焦

忿決尤難懲窒五志總歸心主古稱入火不熱者是何道歟其曰君火爲人火而相火爲天火者猶之太極爲體卦爻爲用而邵子曰卦爻爲體太極爲用也故曰天道以陽氣爲主人身亦以陽氣爲主陽統陰陽火運水火也生以火死以火病生於火而養身者亦此火水火交濟主之者心火無體而因物爲體人心亦然故提出不生不死之道心以統人心實未嘗離也善吾生所以善吾死郭象曰養生非求過分也

全理盡年而已矣此醫所以貴治神爲第一也節嗇慾寡嗔恚陰平陽秘中和主宰相奉其君是黃帝之心乎潛夫曰明乎滿空皆火君相道合者生死性命之故了然矣

或問五行金生水金何以生水乎虛舟子曰金石同體五金八石互相爲用丱之在土直一石耳石則生水矣本艸金石同科石者氣之核土之骨也精爲金玉毒爲礬砒凝色爲丹青化液爲礬汞或自柔爲剛

乳鹵成石是也或自動而靜草木成石是也含靈之爲石自有情而之無情也雷星之爲石自無形而成有形也

或曰水濕火燥相反甚明而易傳曰水火不相射何也浮山愚者曰本一氣也而自爲陰陽分爲二氣而各具陰陽有時分用而本不相離有時互用而不礙偏顯有時相制而適以相成特人不著察耳天一生水而反成陰潤之性地二生火而反成陽燥之性呵

氣屬火而化爲氣水精液爲水而反以成人果二物耶人之腎水也心火也時時交濟不可間隔是水直以火爲性命矣不見夫雨露霜雹皆陽氣之蒸餾硝磺發而砲滴雷鳴而泉通熱爐之下必有氣蒸是火直以水爲性命矣不見夫螢燐珠珀皆濕氣之凝燈加膩而益明井油得水愈熾高奴之水肥可燃乎日炙草木而滋茂行汁參芪補陽而口生津水中之石擊之得火煉劍淬水而剛二者交濟相成識者於此

悟代錯之本一矣

繆中淳曰水爲陰精火爲陽氣陰陽和平少火生氣則諸病不作不善攝養陰虧水涸則火偏勝陰不足則陽必湊之是謂陽盛陰虛亦曰壯火食氣是知火與氣一也蓋平則爲水火既濟火即眞陽之元氣矣及其偏也則即陽氣而爲火也始與元氣不兩立而乖否矣其論陽常有餘陰常不足則丹溪之說也陽生陰則東垣之說也合而觀之性命之理亦可以見

準按方以智号

或問水火反因可得詳乎宓山愚者曰冷熱其本情也乾濕其所就也水內景火外景水有體火無體火用之而多水用之而少皆相反也實相因也乾與熱爲火乾與濕爲土濕與冷爲水濕與熱爲氣言其蒸也火燒冷水而熱久之復冷是陰無去來以陽之去來爲去來矣氣動皆火氣凝皆水凝積而流動不停運其交藏所在豈非土與空之爲用乎火空則發水附土行然空中之氣皆水土中之蒸皆火也剔而別

之五星具矣而日月爲眞水火心肝脾肺腎配五行而運行五臟六腑間者何物乎又進而言之兩間惟太陽爲火而月五星皆屬水人身骨肉血脈皆水惟陽火運之則煖煖氣去則死矣然五志皆火惟一腎水水常不能勝火何也蓋火之一分足敵水之十分不可以平論也又進而言之精氣皆水也神火也又進而言之神不離精氣惟剔而知之斯貫而理之精無人神無我致中和者享之矣

陰陽互根析徵自見負陰抱陽而背陽腹陰上陽下陰而腎陽心陰況手足各三陰陽乎醫言氣陽血陰而氣中有陰陽心火腎水而腎中有水火丹溪謂陰常不足正謂陰精非泛指陰血張璣謂寸以候氣尺以候血蓋陰精主血也氣從上而旋故寸候之太淵肺部氣統氣血更何疑乎診視者不可泥一說之陰陽尤不可執肙總一句而不細考差別以互徵之也六淫湊襲可以寒熱藥攻之真元致病卽以水火之

眞調之然不求其屬投之不入先天水火同宮火以水爲主木以火爲原故取之陰者火中求水其精不竭取之陽者水中尋火其明不熄經曰諸寒之而熱者取之陰諸熱之而寒者取之陽所謂求其屬也王太僕註曰寒之不寒是無水也熱之不熱是無火也無水者壯水之主以鎮陽光無火者益火之原以消陰翳細分陰陽爲五而五各有五約以水火言陽火日陰火燈木火以坎水滋養故火不外見金中火如

礦山放光，土中火則蒸收生物，如硫礬其專結也。水中火則海火夜光類也。陽水爲泉，陰水爲澤，木採汁，木金石生潤禾，其一類皆土中出也。龍火行雨，非火中水乎？人身肝火內熾，鬱悶煩燥，須以辛涼發達之，寒藥熱藥皆不可也。命門火衰，腎中寒甚，龍火無藏身之位，遊於上而不歸，故有上焦煩熱、欬嗽、喉病等症，引之歸原可也。而治陰虛火衰者，乃執黃栢、知母以寒之乎？咽喉如曲突，火炎若以水自上灌下，曲突立爆烈矣，惟竈牀下以盆水映之，上炎即熄此上病療下之驗燈炷膏油養之入寒水則滅矣惟六氣暑熱可以寒涼解之耳人身脾土中火以甘溫養而自退矣金火爲肺火毛孔如針刺巔頂如火炎者此肺金氣虛也經曰東方木實因西方金虛也補北方水即巳瀉南方火此則通治五行之火矣飲食入胃命門之火蒸腐水穀其氣薰肺肺通百脉水精四布上達皮毛爲汗涕爲唾津下濡膀胱爲便爲液而血亦水也以隨相火行故其色紅周而復始此所謂火生

水也骨中之髓正如鑛中汞木中膏脂則如足下有湧泉穴肩上有肩井穴此暗水潛行之道也其所以晝夜不息者以一元之乾氣經曰紀於水火餘氣可知

陳壽春曰哀哉人也火焚而滅今以兩木相摩久之得溫久之得火七情相摩甚於兩木陽火熾然金始被傷無以子水木欺金弱往而害土是則造攻在火受兵在金二者爲難震於其隣失母不滋害陵於子

受制自困飛禍於土載地之物水土爲常土爲元母水爲之祖土之常制居中以養水之常制居底潤化二者大氣大氣既蔽五行將息火害巳遍初及其敵既其反覆適敗所托奸臣滅國偃自亾矣夫五惡同事得和乃處內得其和外得其平和平理成生乃留止和所以失皆責其過或過於外或過於內過於外者六氣之入與其飲食一經受之傳於餘經間傳傳生七傳傳克傳生之類母得毒味以養其子傳克之

類虎被毒鏃怒而拔木盜賊已發引連怨家傳生者輕傳克者重過內之事獨於七情與其思慮大喜系弛氣散傷心大怒血騰氣急傷肝大憂志下氣閉傷脾大恐神失氣掉傷腎多思系急氣聚傷心脾五者之來思爲無已多智之物常以思害蘇子曰思之於人微而無間朋來狎至皆害和平此生道所以危也

祝茹穹曰風爲百病之始實爲生之母因風致病內經凡數見故五邪皆屬風十二經皆有受風蓋每歲

之主氣起於初氣厥陰木木爲肝之屬肝者干也即榦也其在天干則首甲乙肝之上爲人迎人迎者人受生之氣從此而迎入也生氣從此迎入則百病皆從生之本而感受之是以百病皆由於傷寒其實非風之咎也靈樞五變篇曰天之生風者非以私百姓也其行公平正直犯者得之避者得無殆非求人而人自犯之故本經九宮八風篇雖有大弱風謀風剛風折風大剛風凶風嬰兒風弱風之名不合公平正

直之旨其實皆因物之感受而立名非風有如此名也即六氣之化皆因民病有熱濕火燥寒五氣之化而傳之風化之客氣皆五者累之耳若以五者之受化而言皆謂之風化可也故曰天之生風非以私百姓熱濕火燥寒皆地氣之變非天之生風故六氣皆從地支化也其以風本編于巳亥者巳亥爲子午之交陰陽生死之路十二時中絕續之際六十年中推移之會其所以神其用者皆風也地氣不能無濕熱

火燥寒故天以風化統之而寄於亥之天門其對爲巳也其行公平正直故人之生也直而其形類木木以其根受生氣之中和而後乃可以枝枝之端發而爲葉爲花爲果人之根本在臍腎受胃氣之和而後四肢十指之端生十二經脈亦如木之生然木之受生皆風貫之上自枝通幹自幹通根下自根通幹自幹通枝天氣下降地氣上騰春氣也春爲木之主推而言之四序之木皆有天氣下降地氣上騰而後始

得生所謂四序皆禀令於春四德皆統會於元也人一身而備四時之氣者此也枝幹之實而其氣乃虛非虛不能受風而生也枝幹之枯其實則虛其氣乃實實者塞枯而不通潤是以不能受風之生氣而自死非風之害之也惟不能受生氣而風之所過不能免于害之實并風亦不能辭于害之名矣人身根本不搖則四肢所受之風上下相貫行於經絡榮衛而爲生氣若根本搖動則受害於風猶之木病也木

有時一枝偏枯。此亦根本之氣與此偏枯之枝偶不相貫。不至傷全樹之生。猶人之內偶一處受病。或外之四肢偶有痿痺瘡瘍之屬。亦不至傷身命也。但木之病損一枝。折而去之。不爲大害。人之病損一處。則斷斷不可。外則發病。內則傳經絡臟腑。身命淪亡。是以貴急調治之也。

北堂三言曰。今夫風散滯布濕。或怒或喜。怒者馳盪。喜者堅結。日之爲也。今夫日開陽布煖。或酷或惠。酷者調劑惠者拂披風之爲也及夫七日出於須彌山腰而山河大地壞風在壞中及夫風輪轉於壞空而聚沫生日在沫內由前日與風相須爲用由後日王壞并壞風風王生并生日夫日吾神也風吾氣也氣蒸而爲液液動精融而神凝焉液溢精流而神盎焉是爲風輪生日之義所昉神煽而爲火火炎精枯而氣耗焉火烈精竭而氣盡焉是爲日神壞風之義所昉

經言東方實西方虛瀉南方補北方者金木水火土更當相平東方木也西方金也木欲實金當平之火欲實水當平之土欲實木當平之金欲實火當平之水欲實土當平之東方者肝也則知肝實西方者肺也則知肺虛瀉南方火補北方水火者木之子也水者木之母也水勝火子能令母實母能令子虛故瀉火補水欲令金不得干木也經曰不能治其虛何問其餘

病有虛邪。有實邪。有賊邪。有微邪。有正邪。以心病言之。從後來者爲虛邪。心病如得之肝症中風是也。從前來者爲實邪。如心病得之脾症飲食勞倦是也。從所不勝來者爲賊邪。如心病得之腎症中濕是也。從所勝來者爲微邪如心病得之肺症傷寒是也。自病爲正邪。如心病得之傷暑是也。諸臟做此。此四大相乘之患〇卽以實邪言之。熱卽生風。冷生氣。用心指下丁寧。記熱者數。冷者遲。熱屬火。風屬木。木來火位。

則木中有火金有懼火之意金不得以制木而木愈盛故熱則生風冷屬水氣屬金水來金位則金中有水火有畏水之意火不得以制金而金愈盛故冷則生氣熱則生風是東方實而西方虛也法當瀉南方火補北方水火減則金得氣盛木自虛而風自止矣冷則生氣是北方實而南方虛也法當瀉北方水補南方火水減則火得氣盛金自虛而氣自衰矣此實則瀉其子也指下辨審遲數虛實毫不可忽

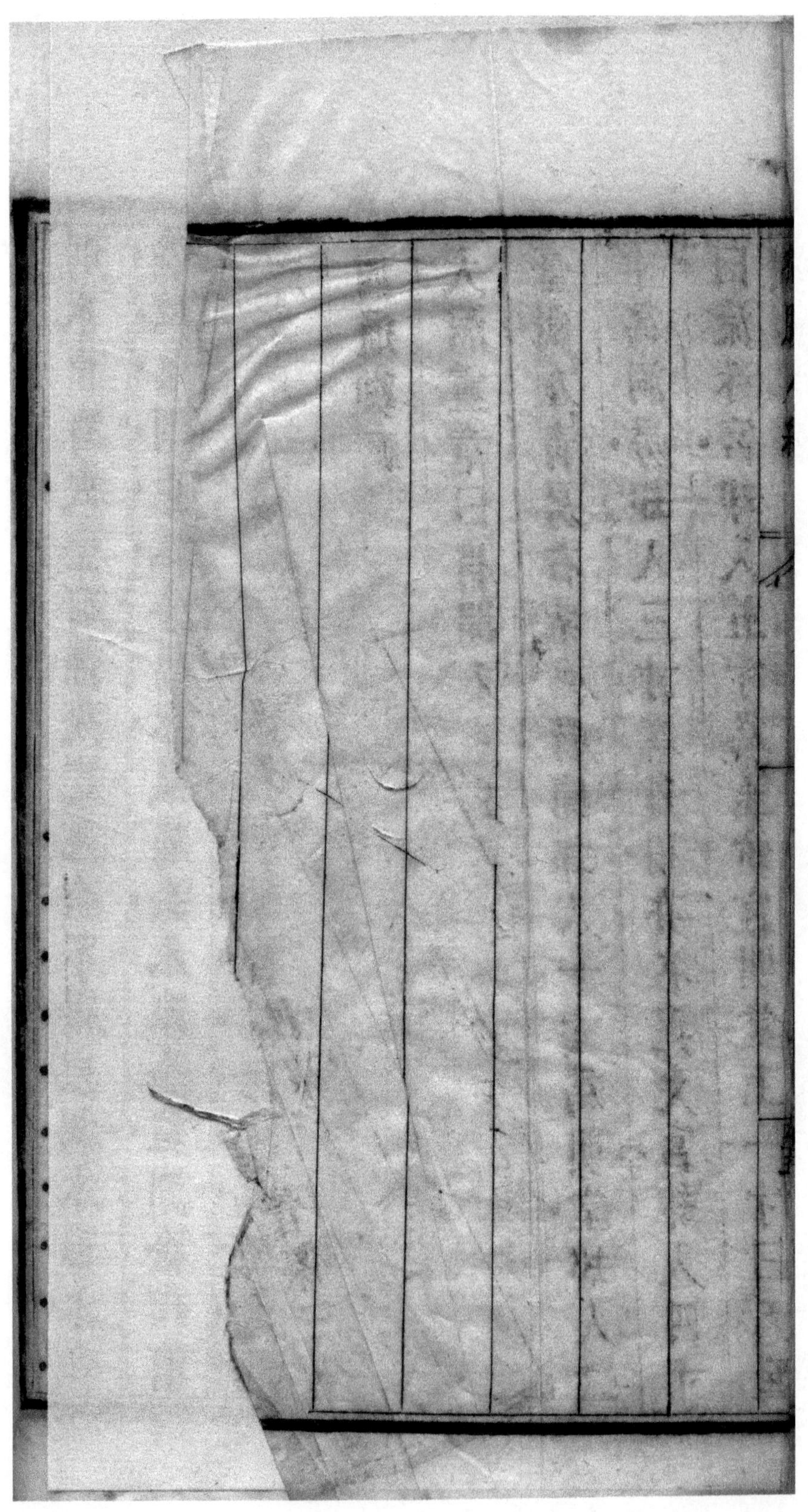

頭面臟腑形色觀

頭有九宮烟蘿子曾著其圖泥丸乃一身之祖竅萬神會集之都也故曰旁有垣關狀似蓬壺環匝關閉四通踟蹰曲閣相連以戒不虞

大洞靈章曰眉間入三分爲雙丹田入骨際三分爲臺闕左青房右紫戶眉間却入一寸爲明堂却入二寸爲洞房却入三寸爲丹田亦名泥丸宮却入四寸曰流珠宮却入五寸爲玉帝宮明堂上一寸曰天庭

宮洞房上一寸曰極真宮丹田上一寸曰丹玄宮流珠上一寸曰太皇宮九宮各有神居之

黃帝曰諸髓皆屬於腦又云腎生髓髓生肝九墟云人有四海腦爲髓之海凡太陽經入絡於腦故五穀之精津和合而爲膏者內滲入於骨孔補益於腦髓人之脊骨中髓上至於腦下至於尾閭其兩旁附脇骨每節皆有細絡一道內連腹中與心肺系及五臓相通

浮山曰人之智愚係腦之清濁太素脈法本乎此

項後髮際內名風府中傷寒病皆因此穴發不可不

慎黃帝曰氣口獨爲五臟之主氣口太陰也兼屬脾

臟府之氣味皆出于胃而變見于氣口又足跗上五

寸曰衝陽死生之要會凡病必診衝陽以察胃氣之

有無也命門脈在足內踝者曰太谿亦主死生之要

會病有命脈者生無者死

氣口獨爲五臟主此句尤爲扼要胃氣之有無命

脈之有無傷寒之輕重皆於此候之人知氣口手太陰也謂兼屬脾則足太陰亦于此見矣又謂臟腑之氣味皆出于胃而變見于氣口則十二經盡於此見矣故曰氣口獨爲五臟主 鍾閶

鄭厚曰髮屬心火也故上生鬚屬腎水也故下生眉屬肝木也故側生貴人勞心故少髮癩者風感落木故先禿眉張仲景知王粲眉落是也

崆峒子曰髮血之餘血陰也黑者水之色也髮白者

反從母氣也凡物極則反

七政麗乎天七竅在乎首七政之見在于極之南七竅之用在于面之前黄道經南天以行七政傾于前也故人之鞠躬亦向前

七竅上應七元目爲日月魂日寓目魄夜舍肝寓目則覺舍肝則夢夢多覺少魄制魂也夢少覺多魂制魄也魂魄相合夢覺渾一

耳目爲陽故便左手足爲陰故便右亦天地之義也

目上睫動下睫靜爲觀卦之象有觀見之義巽風動于上坤地靜于下也口下頦動上頦靜爲頤卦之象有頤養之義震雷動于下艮山止于上也目居上上者動天氣運于上也口居下下者動地氣運于下也

眼之於色爲業甚大眼見心欲心動神疲是以五臟之神皆從眼漏爲第一業根眼通于心心乃神宅瞥爾見惑宅遂不守人之陋劣習而不耻

内景逕註曰眼屬肝鼻屬肺耳屬腎齒亦屬腎舌屬

心髮亦屬心

經言肝主色心主臭脾主味肺主聲腎主液鼻者肺之候而反知香臭者肺金也金生于巳巳者南方火心火也心主臭故令鼻知香臭耳者腎之候而反聞聲者腎水也水生於申申者西方金肺金也肺主聲故令耳聞聲

蠡海集曰肝之竅通於目故能視色脾之竅通於口故能知味腎之竅通於耳而耳能聽聲者何也肺之

竅通於鼻而鼻能嗅香者何也難經乃以金生於巳水生於申配之今思五行五氣死中有生之義存焉耳為腎竅屬子陽金死於子而陰金生鼻為肺竅屬酉陽火死於酉而陰火生是以耳雖腎竅而能司聽鼻雖肺竅而能司嗅也心之竅通於舌舌雖心竅而津液生之則又心腎交媾水火既濟陰陽升降之理也

人在胎中先生鼻鼻通肺肺主氣也男為陽陽生于

子女爲陰陰生于午榮衛之行子丑循膽肝午未循心小腸是以男子生鼻之後目即生焉目應肝膽女子生鼻之後舌即生焉舌應心小腸目現于體外陽之用也舌隱於體內陰之用也

面有五岳鼻爲中岳胎形先結鼻死亦鼻先脫蓋真息於此通焉體道者細心縝密綿綿若有呼吸帝座與天遊也

鼻祖耳孫此生人之始末也鼻貫于額故先得始焉

生泥丸次玄元二炁生中下二部

輔談云欲知時辰陰陽常别以鼻鼻中氣陽時在左陰時在右亥子之交兩孔俱通丹家所謂玉洞雙開也三極筌蹄云刻漏以身准測神定炁和則内外符合神昏炁躁則時晷差互如子時左通丑時右通餘倣此亥子中間寅卯中間巳午中間申酉中間陰陽俱通乃甲庚丙壬之要也

列子曰目將眇者先睹秋毫鼻將窒者先覺焦朽故

物不至則不反

牛雖有耳而聽以鼻竅雖有鼻而息以耳凡言竅息者以耳言也

天食人以五氣由鼻入鼻通天氣而疏豁是以動息往來無礙地食人以五味由口入口通地氣而吝嗇是以納食味而不由天陽有餘故鼻竅不閉地陰不足故口嘗閉必因言語飲食方開若反此者病也

天降五氣地產五味然味之生也必資于五氣五氣

化而皆澹雨露霜雪之類是也則凡五味之微者兼氣存焉得天地之和也故酸入肝苦入心甘入脾辛入肺鹹入腎皆言其微者也至若酸傷肝苦傷心甘傷脾辛傷肺鹹傷腎皆言其甚者也

人之水溝穴在鼻下口上名曰人中蓋居人身天地之中也天氣通于鼻地氣通于口天食人以五氣鼻受之地食人以五味口受之穴居其中故曰人中或曰人有九竅自人中以上者皆兩自人中以下者皆

一天地交泰之義也

舌爲心之外應其本連于炁管有竅曰玄膺爲腎之上津上通七竅乃眞炁出入之關知之者生不知者死

華陀內照圖曰喉嚨以下言六臟爲手足三陰咽門以下言六腑爲手足三陽蓋諸臟屬陰爲裏諸腑屬陽爲表臟者藏也藏諸神而精神流通也腑如府庫主出納水穀轉輸之路也

喉應天氣乃肺之系也肺屬金乾爲天乾金也故天氣通於肺而肺應天上連會厭會厭者五臟音聲之門戸肺屬金聲應金石也肺手太陰經黄帝曰肺爲諸臟之上葢藏眞氣于肺以行榮衛陰陽二葉中有二千四空行列以分布諸臟清濁之氣爲相輔之官

心手少陰經形如未放蓮花中有九孔以道天眞之氣神之宇也藏血脈爲身之君心包絡手厥陰經九樞云十二原以大陵爲心之原即心包穴也明眞

心不受邪故手心主則心包也類纂曰手厥陰心包之經所謂一陰也一名手心主其經與手少陽三焦爲表裏　脾足太陰經經絡之氣交歸于中以營運焉意之舍也又云脾爲陰臟位處中焦主養四臟故呼吸以受穀氣以其上有心肺下有腎肝故曰在中藏肌肉之氣爲倉廩之官　肝足厥陰經有二葉各有支絡血脈以宣發陽和之氣魄之宮也藏筋膜之氣爲將軍之官其治在左　腎足少陰經爲作強之

官伎巧出焉其位下連於脇藏骨髓之氣腎藏天乙以慳爲事心意內治則精全而濟出思想外淫嗜慾不節則固者搖矣左爲腎屬水右爲命門屬火命門者元氣之所繫男子藏精女子繫胞其氣與腎通所謂陽生于子火實藏之藏於陰而象地名曰奇恆之府

咽應地氣爲胃之系也以胃屬土坤爲地坤土也故應地咽下胃脘水穀之道又謂之嗌黃帝曰地氣通

於嗌嗌咽也胃足陽明經爲五臟之本故食氣入胃散精於肝淫氣於筋食氣入胃濁氣歸心淫精於脈脈氣流經經氣歸肺肺朝百脈輸精于皮毛毛脈合精氣行于腑又飲入於胃遊溢精氣上輸於脾脾氣散精上歸於肺通調水道下輸膀胱水精四布五經並行合於四時五臟陰陽揆度以爲常也　膽足少陽經黃帝曰膽中正之官決斷出焉爲清淨之府

小腸手太陽經黃帝曰小腸受盛之官化物出焉凡

胃中腐熟水穀。其滓穢自胃之下口。傳入小腸上口。自小腸下口泌別。而水入膀胱上口。其滓穢傳入大腸上口。大腸手陽明經。一名回腸。以其回屈而受小腸所傳。乃肺之府也。黃帝曰大腸傳送之官。變化出焉。其下曰廣腸。一名直腸。一名魄門。一名洞腸。爲五臟便水穀。不得久藏。

膀胱足太陽經。又名胞虛承水液爲精液之府。類纂云膀胱者胞之室也。黃帝曰膀胱爲州都之官。氣化。則能出矣。位當孤府。故膀

胱不利爲癃不約爲遺溺得守者生失守者死　三
焦手少陽扁鵲曰焦者原也爲水穀之道路氣之所
終始也上焦在心下胃上口主內而不出其治在膻
中玉堂下一寸六分直兩乳間陷者是也布陽氣溢
于皮膚分肉之間若霧露之溉焉中焦在胃中脘主
變化水穀之味出血以榮五臟六腑及周身也九墟
云中焦亦並於胸中出上焦之後此所受氣泌別糟
粕承精液化其精微上注於肺脈乃化而爲血以奉

生身故得獨行於經隧命曰榮氣下焦在臍下當膀胱上口主分別清濁出而不內以傳道也黃帝曰上焦如霧中焦如漚下焦如瀆俱內照圖

氣有三曰宗曰榮曰衛宗氣積於上焦出喉以司呼吸而行於十二經隧之中瀰淪布濩故如霧榮氣並胃中出上焦之下泌別清濁蒸爲精微之氣而心中之血賴之以生凝聚浮沉故如漚胃納水穀脾實化之糟粕入於大腸水液滲入膀胱故下

焦爲决瀆之官膀胱爲州都之官如瀆之畜洩乎水也然下焦陰中有陽從是升中上二焦而衛氣生

三焦所行之腧爲原者臍下腎間動氣人之生命也十二經之根本也故名原三焦者原氣之别使也主通行三氣經歷於藏腑原者三焦之尊稱故所止輒爲原一說十二經皆以腧爲原經云肺之原出於太淵心之原出於太陵肝之原出於太衝

脾之原由於太白腎之原由於太谿少陰之原由於兌骨膽之原由於丘墟胃之原由於衝陽三焦之原出於陽池膀胱之原出於京骨大腸之原出於合谷小腸之原出於腕骨

身內有三貴熱以爲生血以爲養氣以爲動覺故心肝腦爲貴而餘待命焉血所由成必賴食化食先歷齒刀次歷胃釜粗細悉歸大絡細者可以升至肝腦成血粗者爲滓於此之際存細分粗者脾包收諸物

害身之苦者膽吸藏未化者胃脾也膽也胃也雖皆成血之器然不如肝獨變結之更生體性之氣故肝貴也心則成內熱與生養之氣腦生細微動覺之氣故並貴也或問三貴之生氣如何曰肝以竅體內收半變之糧漸從本力全變爲血而血之精分更變爲血露所謂體性之氣也此氣最細能通百脈啓百竅引血周行遍體又本血一分由大絡入心先入右竅次移左竅漸至細微半變爲露所謂生養之氣也是

氣能引細血周身以存原熱。又此露一二分。從大絡升入腦中。又變而愈細愈精。以爲動覺之氣。乃合五官四體動覺。得其分矣。無可

五臟以色分。靈樞經曰。赤色小理者心小。粗理心大。無髑骬者心高。髑骬小短舉者心下。髑骬長者心下堅。髑骬弱小以薄者心脆。髑骬直下不舉者心端正。倚一方者偏傾也。反膺陷喉者肺高。合腋張脇者肺下。好肩背者肺堅。廣胸反骹者肝高。合脇兔骹者肝

下。揭唇者脾高。唇下縱者脾下。高耳者腎高。肺應皮。皮厚者大腸厚。心應脉。小腸應之。脾應肉。肉䐃堅大者胃厚。肝應爪。爪厚色黃者膽厚。色黑多紋者膽結也。腎應骨。密理厚皮者三焦膀胱厚。皮急無毫毛者三焦膀胱急。皆可緣表以測裏。髑骬音歇于胸前缺盆骨

人身五岳。心爲南岳居上。腎爲北岳居下。肝爲東岳居左。肺爲西岳居右。脾爲中岳居中。心主南斗。腎主北斗。肝主東斗。肺主西斗。脾主中斗。故曰元氣所合

列宿分六腑亦曰六合

人身法乎天地最爲清切且如天地以巳午申酉居前在上故人之心肺處于前上亥子寅卯居後在下故人之腎肝處于後下四支百骸莫不法乎天地是以爲萬物之靈 鼇海集

臟者人之神氣所舍藏也心藏神肝藏魂肺藏魄脾藏意與智腎藏精與志也故經曰五臟有七神臟陰腑陽陽則清矣而獨稱膽爲清淨之府葢小腸者心

之府主受盛大腸者肺之府主傳道胃者脾之府主水穀膀胱者腎之府主精液膽者肝之府稱清淨焉各有所司然無膽則百事無成

內照圖曰臟腧山腑喻道收陰陽之道合於五臟之候是以黃帝論氣之行著必分勇怯扁鵲治病忌神明之失守叔和論脉辨性氣之緩急得神者昌失神者亾

經言五靈卽青靈丹靈皓靈玄靈黃靈也青靈屬肝

則震巽二卦赤靈屬心則離卦皓靈屬肺則乾兌二卦玄靈屬腎則坎卦黃靈屬脾則坤艮二卦神貴藏人五臟眞色見則病劇以其神露也脾病劇則黃疸黃者脾之眞色也臟者藏也故肝病則色青肺病則白心病則赤腎病則黑故曰望而知之之謂神言察乎露者也

呼而出者日之陽也吸而入者月之陰也心主日位陽也輕清上升魂乃心之英靈變化不測故居上腎

主月位陰也重濁下降腎關眞一之水乃性命之原故居下

岐伯曰膈肓之中上有父母七節之旁中有小心膈肓謂心肺之間也父母氣海也氣者生之原命之主故氣海爲人之父母靈樞言十二原以心包絡大陵穴爲心之原明眞心不受邪故知手心主代心火也心包絡亦曰膻中又曰小心蘭臺秘典曰膻中臣使之官喜樂出焉以氣布陰陽氣和志達則喜樂由生

合爲十二臟配手厥陰之經喜樂屬火與心應也膻中稱臣使者對君之名也縣珠言刺大陵曰瀉相火小心之原也心不言俞是一徵也虛舟子曰心不用而用小心爲主故曰氣以火運君以相用焦起於下而衛行三段也由是決之三隧會于肺口而周流無端臟腑加心包應三焦爲十二是兼三而兩之也中五而交之也膻中氣海胸穴第五正對心臟而稍前出位在兩乳間

記曰中心無爲也以守至正先儒謂必有事焉而

勿正心言心本自正不待有以正之也心之不正者雜念也非心也念字从人从二心是第二心也靈樞亦謂眞心不受邪其受邪者心包絡也故曰心不用而用小心非不用也太虛無體無所庸其用也量同天地無少虧欠若第二心則小矣攻治之所及者小心受之耳固知人心即道心更莫疑阻岐伯非但言醫也　覺岈

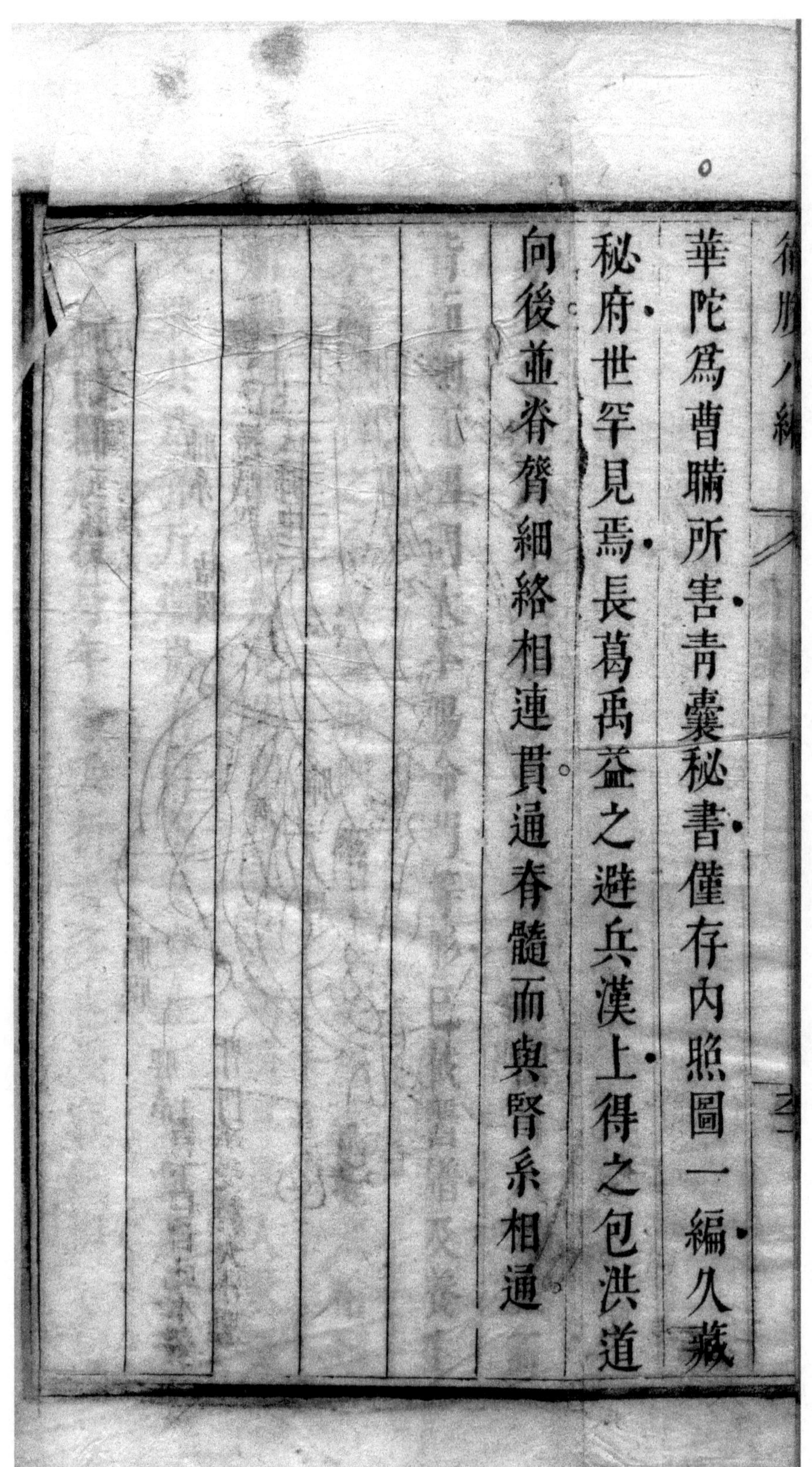

華陀爲曹瞞所害青囊秘書僅存内照圖一編久藏
秘府世罕見焉長葛禹益之避兵漢上得之包洪道
向後並脊膂細絡相連貫通脊髓而與腎系相通

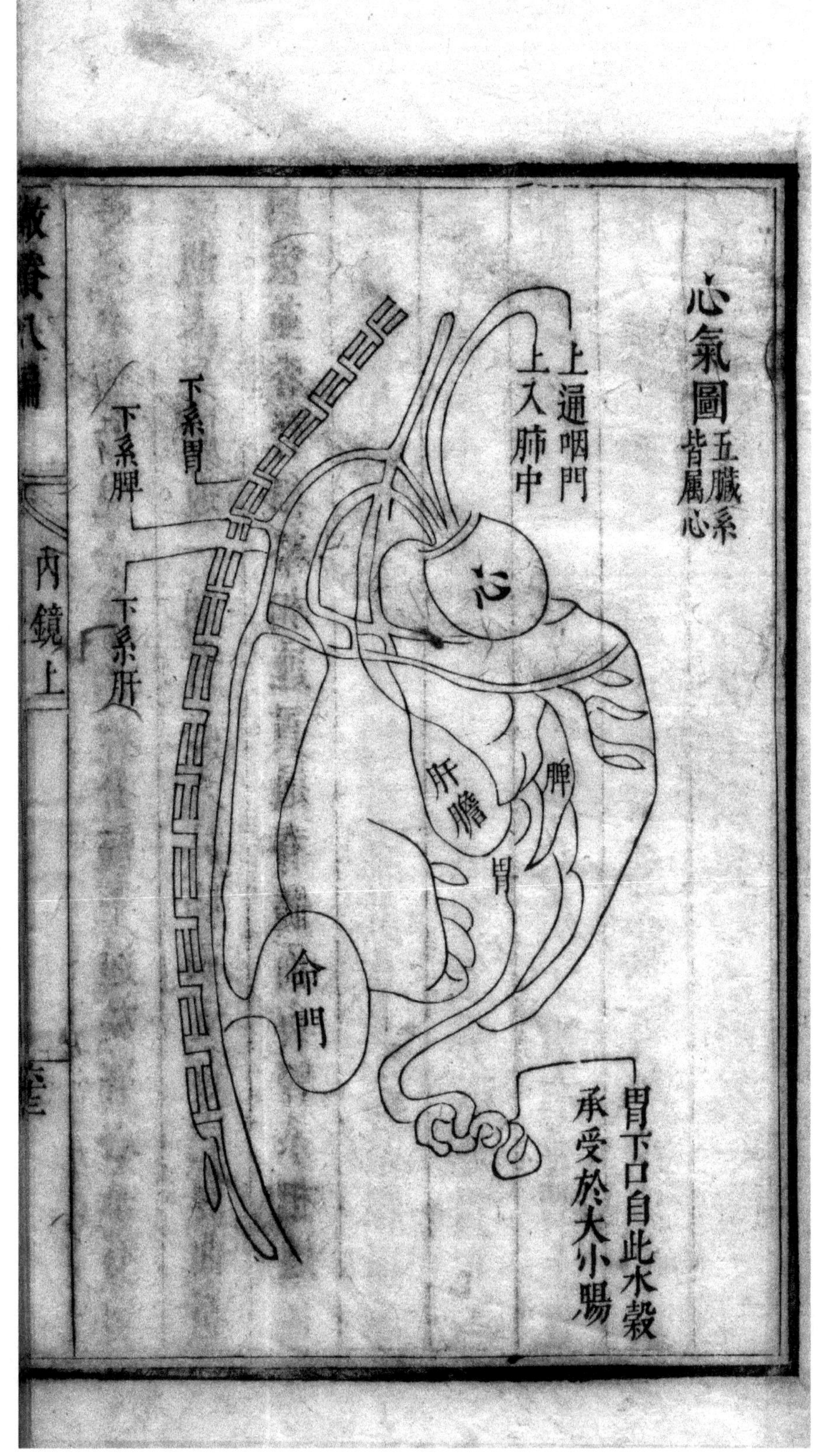
心氣圖
五臟系皆屬心
上通咽門
上入肺中
心
下系胃
下系脾
下系肝
肝
膽
脾
胃
命門
胃下口自此水穀承受於大小腸
徹賸八編
内鏡上

心之系與五臟之氣相連輸其血氣滲灌骨髓故五臟有病先干於心其系上系於肺其別者自肺兩葉中通脊而連腎自腎而之膀胱與膀胱膜絡並行而之溲溺處也肺之系上通喉嚨其中與心系相通脾之系自膈中微近左脅並胃包絡及胃脘連貫與心肺相通膈膜相綴也肝之系自膈下着右脅肋上貫膈入肺中與膈膜相連也腎之系貼脊膂脂膜中兩腎二系相通而下行其上則與心系通爲一

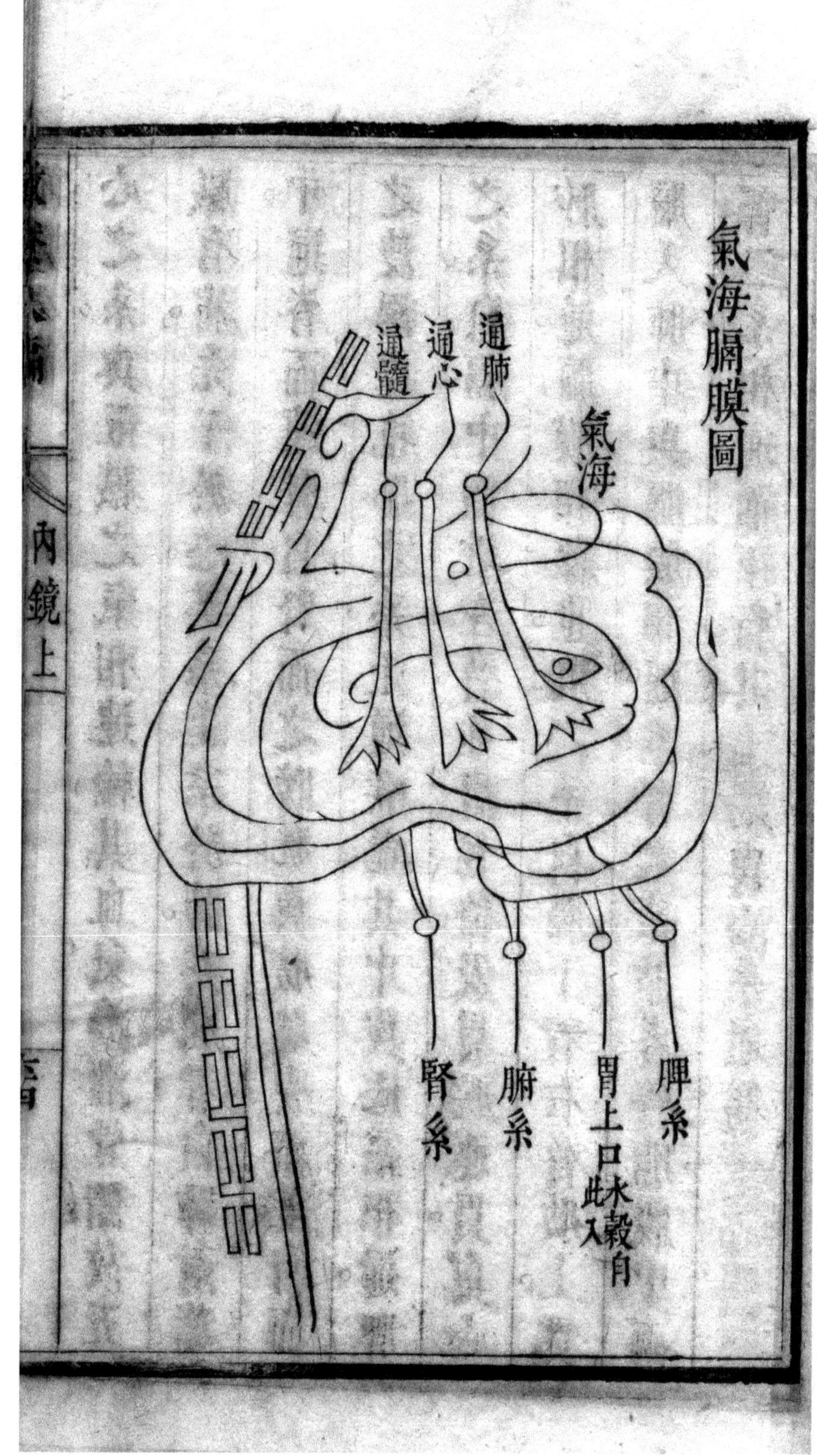
氣海膈膜圖
氣海
通肺
通心
通髓
脾系
胃上口水穀自此入
腑系
腎系
內鏡上

黃帝曰膈肓之上中有父母膈肓在心肺之下與脊脅腹周回相著如幕不漏以遮蔽濁氣不上薰於心肺其上則氣海也人得氣以生非父母乎系之貫膈而上者通於心通於肺通於髓系之貫膈而下者繫乎胃繫乎脾繫乎腎繫乎腑其位置最妙亦最危古人謂人命如懸絲非但言理也

采芝堂軼稾曰氣海圖不可不詳覽也覽有三要一曰辟穢觀膈膜如幕以遮腸胃濁氣不使薰心然則

清虚之府所當自愛也如使心之所思無非塵穢垢汚之事是膈膜遮之而心官反引之乎此之謂失心失心者趨死之路也一曰養氣孟子曰無暴其氣人但以爲談理耳試觀膈膜之上名爲氣海純清氤氳週身賴以養焉此如天之積氣於上而臍下氣穴又如地之以大氣扛舉也氣以養生顧暴戾恣睢㸬之反覆或致火鬱或致關格或致上逆下洞其不自速其斃者幾希一曰思危神馭氣氣寓形形可恃乎今

觀膈膜之上心肺系焉膈膜之下肝腸脾胃系焉夫一系之聯絡能幾何而七情六欲風寒燥濕競起而傷之斷此一絲而臟絕矣盧扁無所施矣智者三復之合觀肺側圖則知臟腑如懸囊觀心氣圖則知靈府如孤注觀氣海圖則知羅胸如碧落欲不慎諸烏得而不慎諸

河車逆流圖
崑崙
雙關
氣海
尾閭
內鏡上

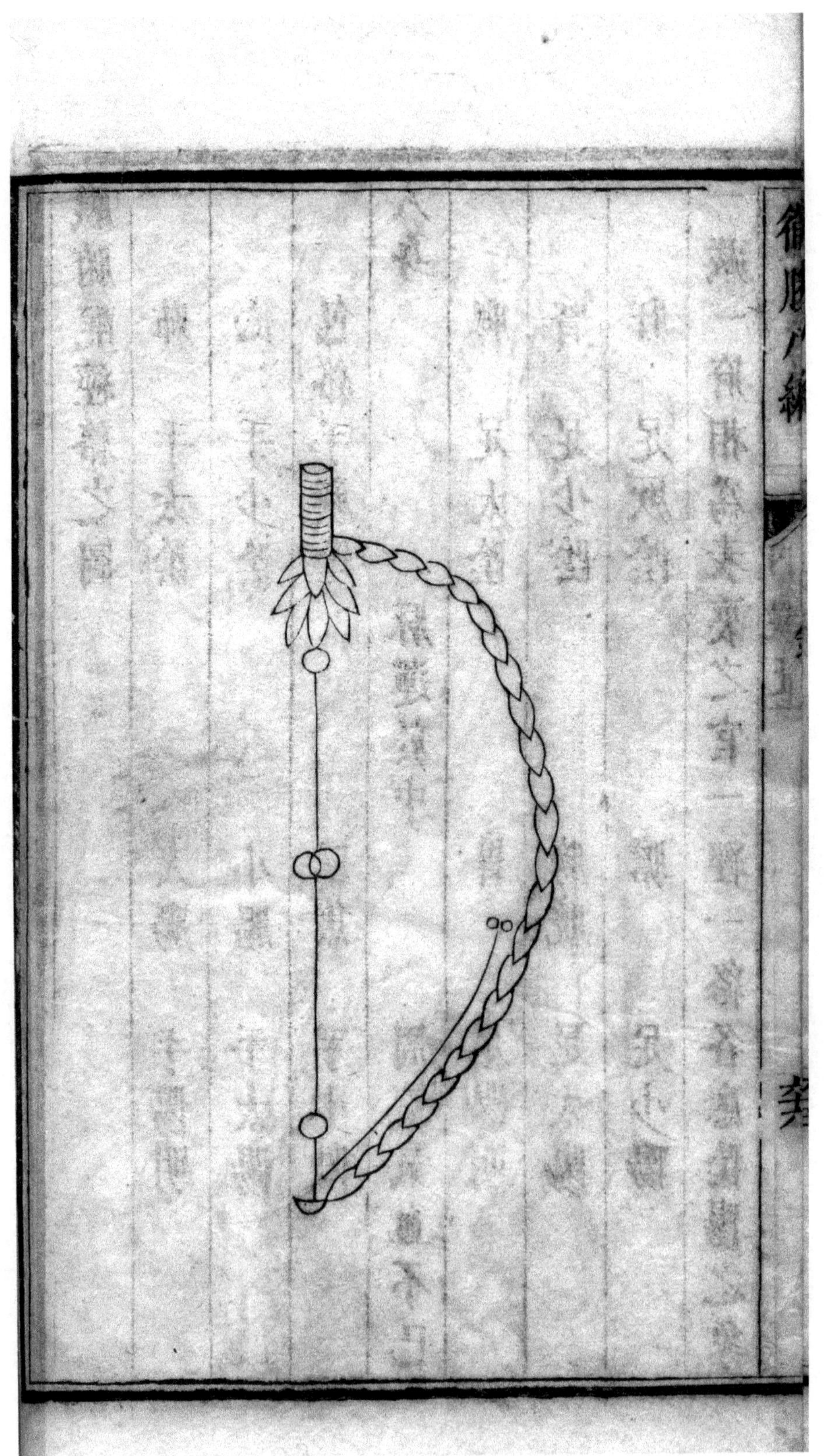

臟腑配經絡之圖

肺	手太陰	大腸	手陽明
心	手少陰	小腸	手太陽
包絡	手厥陰	三焦	手少陽

人身　脉運於中　周流氣血不已

脾	足太陰	胃	足陽明
腎	足少陰	膀胱	足太陽
肝	足厥陰	膽	足少陽

一藏一府相爲表裏之官一經一絡各應陰陽之象

經絡配四時之圖

寅手少陽三焦 相火　巳手厥陰包絡 風木

春卯手陽明大腸 燥金　夏午手少陰心 君火

辰手太陽小腸 寒水　未手太陰肺 濕土

天時十二月人身十二經地支十二位 手足 經絡應 天地

申足少陽膽 相火　亥足厥陰肝 風木

秋酉足陽明胃 燥金　冬子足少陰腎 君火

戌足太陽膀胱 寒水　丑足太陰脾 濕土

肝沉肺浮難經已詳然肝爲木少陽之象也肺爲金少陰之象也陰金反居上陽木反居下者陰生于午在上而趨下陽生于子在下而趨上也是以肺處上而肝處下魂魄交互以往來心爲太陽附于少陰肺腎爲太陰隣于少陽肝故肺形向前居陽分也肝形向後居陰分也況申酉金位在西南上寅卯木位在東北下也在上者浮在下者沉亦此義也

肝位于右而脉見左手脾位于左而脉見右手陰陽

互藏其宅之義也
肝病左先牽痛而後及于右昔人曾言之脾病可
類推矣　鍾閶
金盛克木木盛克土古人肝病先實其脾則木邪不
能傳肺病先清其肝則金邪不能盛
心爲太陽天之神也腎爲太陰地之精也脾建中宮
併包天地
天元行于六陽之時地元行于六陰之時太陽到午

太陰到子合璧于黄道之中元聚如連珠周而復始乃天道也人能法陰中之陽地中天元升于午法陽中之陰天中地元降于子亦合璧於黄庭之中元環聚如連珠猶天之循環不息也

晝夜一萬三千五百息眞炁計八百一十丈升降于鼻口呼吸之間凡夫不能掌握皆歸空而散苟一息不返人命卒矣古今知道者皆得冲炁以爲用

華陀内照圖曰呼爲陽而應天出於心與肺吸爲陰

而應地入乎腎與肝六千七百五十息是陰六千七百五十息是陽榮衛相隨各行二十五度扁鵲云人受天地之中以生所謂冲氣也始自中原播於諸脉

三焦經手少陽起於小指循手表腕至目眥子時注膽 膽經足少陽起於目兑入大指岐骨丑時注肝 肝經足厥陰起大指毛際循上臁入肺寅時注肺 肺經手太陰起中焦下絡大腸其支者從腕後出次指內臁卯時注大腸 大腸經手陽明起大指

次指之端側循指上臁其支者從缺盆上頸貫頰入下齒上挾鼻孔辰時注胃　胃經足陽明起鼻交頞中入上齒中其支者入大指間出其端巳時注脾　脾經足太陰起於大指由內際其支者從胃別上膈午時注心　心經手少陰起於心中循小指出其端未時注小腸　小腸經手太陽起於小指之端循手外側上腕其支者入中別上抵鼻至目眥申時注膀胱　膀胱經足太陽起於目內眥交項上其支者從

膊內左右別下循京骨至小指外側酉時注腎　腎經足少陰起於小指之下斜趨足心其支者從腎上貫肝膈入肺注胸中戌時注心包絡　心包絡經手厥陰起於胸中屬心包下膈循小指次指亥時注三焦復注於手太陰肺經其氣與天地同流加一至則熱減一至則寒上合雞鳴下應潮水古人治百病决死生候此而已

莊子曰至人之息以踵踵者抑而深之之意直於呼

吸由起之根生身受氣之初以求之葢嬰兒在母腹中無見聞無知識禀父母之元神毫無走逸所以能守胎中之一息能知嬰兒之所以胎息則知所以踵息矣天一年一呼吸所以不毁人一日三萬六千呼吸非湥湥潛伏何以會爲一元之烝哉故曰眞人潛湥淵浮游守規中

日月道之樞也坎中有陽日遊月宮離中有陰月經日度陰陽互姤則乾坤體純坎離用妙

脾爲巳土之藏。胃爲戊土之府。此一定之位。當道中黃之土也。若修眞之戊巳。則腎爲水爲坎。戊土也。心爲火爲離。巳土也。水升火降。顛倒坎離。二土成圭。既濟之象也。

脾胃屬土。土動則生。不動則不能生。田必耕耘。始堪播種。不動則荒土耳。目眶屬脾土。開眼則眶動。動則脾應之而亦動。又四支屬脾。寤則能飲食。夜寐則不能飲食。壯則多食。動用多也。老則減食。動用少也。胃

受水穀爲太倉藉脾氣之運而後腐熟水穀以化生氣血當運動爲功也

天一生水男子先生左腎女子先生右腎兩腎中間所謂九液源也臍帶隨母呼吸分形之後烝伏于臍竅通于耳其宮玄闕而象圓其烝通心而寘上其主諸液外潤九竅內澤臟腑中滋血脈皆源於此故其竅爲百脈所宗龍火隱寓于內靜則蟠伏動則飛騰經云蒼錦雲衣舞龍蟠此又水中之火生死之門也

百病千災不出水火二字故曰百病千災急當存兩部水王對生門

一年以冬至爲復一月以初三爲復一日以子時爲復夜半斗杓轉降指下一陽從地生人與天地相參適如斗轉陽氣亦從下元夜半來復而藏于腎胸羅萬象斗柄存心人一天也腎在卦爲坎坎外陰内陽雌包雄也在藥爲鉛鉛水中眞金與月同象黑裡白也故曰知雄守雌可无老知白見黑烝自守

腎有二脉自脊中行上通頂內下接足心兩腎之中號赤子府中虛而太極欲動未動之妙涵焉左名腎右名命門一說受胎命門先具而心脾肺肝隨之腎雖後生而氣與命門相通非腎則心火炎肺金燥肝木槁脾土乾小腸附于心大腸附于肺膽附于肝胃附于脾皆腎水以潤之膀胱爲腎之府而滋九竅其源皆發于腎

百穀資氣于天成味于地賴脾橐籥磨化泌别清濁

清升濁降其氣陽屬散之以養一身之陽其味陰屬調之以養一身之陰此脾之所以爲萬物母也黄中通理體坤順之德而有乾健之運故能消穀散氣辟却虚羸也胃陽脾陰合爲戊巳是爲太倉兩明童然土不主時寄宮離坎心爲離在肺下巳土寄于離火腎爲坎對命門戊土寄于坎水兩明童者惟明能辨則能調也

三隧任督旋者宗氣也陰行脉者榮也陽行分肉之

際者衛也一呼行三寸吸如之五爲常六爲閏行陽周諸腑行陰周諸臟各二十五度與五十度周脉相合而會于寅行八百十丈循環不息焉蒔謂呼三吸一八會之氣會於膻中行於上焦謂之宗氣榮言運也由中焦生太陰主內衛言維也由下焦生太陽主外呼出心肺吸入肺肝

上下通止二路前則通於臟而藏精後則通於腑而輸泄口二竅前曰喉肺管也會厭司開以言司閉以

食肺下連心心系胃肝肺此五臟滿而不實也後曰咽食管也胃脘爲賁門入胃從幽門循小腸闌門接大腸及直腸出魄門此六腑實而不滿也精屬腎而曰五臟藏精臟不泄而獨腎泄蓋小心焦火泄之也故曰口之合臟腑者脾胃也味養氣而言吐納也宗筋之合臟腑者腎精也小心焦火藏用者也目之合臟腑者神於明也色通內外而心直受之幾也耳之合臟腑者神於暗也聲通內外而心旁受之幾也口

出耳入言以風力鼻獨識氣上腦爲近也唇以表脾四肢合肝皮毛合肺骨則腎主之矣臟與臟交者心肺以在上也腑與腑合者胃大小腸在中傳受也臟腑相合者肝膽脾胃之司左右也腎與膀胱則形不相通而氣相屬者也　浮山

五臟各有腑皆相近而心肺獨去大小腸遠者經言心榮肺衛通行陽氣故居在上大腸小腸傳陰氣而下故居在下所以相去獨遠也

王制羣徵曰人身溼熱而已熱恆消溼無以資養則膚焦而身燬矣故血者資養之料也血以行脉脉有總曰絡絡從肝出者二一上一下各漸分小脉至細微凡內而臟腑外而膚肉無不貫串莫定其數脉之狀似機其順者因血勢而利導之斜者畱血毋退橫者送血使進也脉之力又能存血不合則壞血合於痰乃克順流合於膽乃免凝滯合於體性之氣乃啓諸竅導之無閉塞也從心出者亦有二大絡一上一

下細分周身悉與肝絡同所不同者肝行血存血此專導引熱勢及生養氣之路耳心以呼吸進新氣退舊氣直合周身脉與之應少間不應輒生寒熱諸症醫者必從三部躍動之勢揣知病源蓋以此也腦散動覺之氣厥用在筋第腦距身遠不及引筋以達百肢復得頸節脊髓連腦爲一因徧及焉腦之皮分內外層內柔而外堅既以保存身氣又以肇始諸筋筋自腦出者六偶獨一偶踰頸至胸下垂胃口之前餘

悉存項内導氣于五官或令之動或令之覺又從脊髓出筋三十偶各有細脈旁分無膚不及其與膚接處稍變似膚始緣以引氣入膚充滿周身無弗達矣筋之體瓤其裏皮其表類於腦以爲腦與周身連結之要約即心與肝所發之脈絡亦肖其體因以傳本體之情於周身蓋心腦與肝三者體有定限必藉筋脈之勢乃能與身相維相貫以盡厥職不則七尺之軀彼三者何由營之衛之使生養動覺各効靈哉

無可曰此論以肝心腦筋立言・是靈素所未發・

或問人身背爲陽・腹爲陰何也・曰天地之義也・背在後以應北・北子位・陽生于子也・腹在前以應南・南午位・陰生于午也・

天之氣爲陽・陽必降・地之氣爲陰・陰必升・故人身手足三陽・自手而頭・自頭而足・手足三陰・自足而腦腹・自腦腹而至于手・陽降陰升之理也・

藏五府六者・三焦爲外府・主持諸氣・紀氏曰・三焦稟

原氣以資始合胃氣以資生往來通貫宣布無窮葢人身資於血氣血榮氣衛而血氣須飲食以養故穀入于胃乃輸精于脾脾乃散之于五臟六腑皆受氣于胃也臟腑各得胃之氣復以清濁而分之榮行脈內衛行脈外二者相爲表裏內外相合隨脈往來營運不息晝行二十五度夜行二十五度至平旦諸脈大會于寸口手太陰陰陽流通如環無端故曰三焦乃水穀之道路氣之所終始也經曰三焦之府在氣

衝氣衝者十二經之根本五臟各一腑三焦亦一腑然不屬于五臟故腑亦可以言五腎居左其右爲命門名位不同所屬亦異然氣則相通腎有兩臟故臟亦可以言六　一說三焦爲命門之腑・

肺脉通乎三焦三焦主氣使肺納于氣海三焦無形寄生胸中以應呼吸而行血氣夫氣不能下血不能上三焦擁逼鞭辟使血氣貫通焉經云有之以爲利無之以爲用金得火而器成肺得火而氣運也

水穀精微之氣藏以養命溢則吐華本先天陰化爲血爲營本先天陽化爲烝爲衞營起中焦每寅注于肺脉歷臟腑陰陽十二經一晝夜閒五十度周于身而大會復起中焦營筋骸養血脉皆是物也衞出下焦一陽上升至寅方注兩目外行陽分二十五度一陰下降至申乃趨足心内行陰分二十五度一晝一夜合五十度周身而大會復出下焦密腠理溫分内皆是物也營血精專行在脉中爲陰衞氣慓悍行在

脉外爲陽陰陽相得外直內專營衞乃和一爲寒熱所侵則營衞因而大病寒陰氣傷營熱陽氣傷衞衞傷則邪實而營正亦虛營傷則邪實而衞正亦負寒熱一傷營衞兩病此命之所以不理身之所以易枯也

鍾閶曰三焦者三元之炁也根于腎亦蓄于腎蓋潛蓄于下乃能腐熟水穀若炎于上則焚矣爲災爲沴矣顧何以使恆固于下而不焚此必有道矣

王允明曰後世以三焦有名無形非也其說始於秦越人而成于王叔和也按三焦經絡起於手第四指之關衝而止於面部之耳後絲竹空其府附於右腎其脈見于右手尺部與手厥陰心包絡經爲表裏

五臟五行所屬有克之而反生生之而反克者肺金心火脾土肝木腎水以生者爲母以克者爲賊虛則補其母實則宜瀉其賊矣何以瀉其子也子虛則竊

食毋之氣以養毋必從而顧之故瀉者令其子虚以分毋之實如土實則必瀉令肺虚則土之實平矣此淺説也更有與義焉凡實者必侮其所不勝益欺其所勝皆挾子之力也如肺金所不勝者心火也所勝者肝木也肺實則挾腎水以侮所不勝之心而益欺其所勝之肝但瀉其子則失所挾而安其位矣若不瀉其子而瀉其賊則治心火必重補腎水是實則補其子矣肺病熱實者心火刑金則土亦必燥但克火

而潤土可也若肺病寒實其脉虛滑而濡既非熱實矣爲飲爲痰宜瀉其腎水使不制心火（謂心之血氣非邪火也）心火足則煖氣薰蒸肺矣心火本刑金今金寒必藉心煖是克之而反生也心火足則命門包絡之火俱足以薰蒸脾土土煖然後能薰蒸肺金飲食運化則痰飲不作若不審此法誤用凉藥瀉其本經復瀉心火則肺寒愈凝而心火復不能薰蒸之使脾土不能受心火與命門包絡之火薰蒸則亦不能薰蒸肺金

凝寒久鬱而伏火克肺其禍不可言矣脾土固當補之以養金必兼用燥滲藥如二朮澤瀉茯苓之類以瀉其邪水邪水者腎寒水之所泛也始泛爲濕痰以停畜于脾漸升爲痰飲以停畜于肺故瀉肺之子也補土之法審其脉微濇遲緩則知脾氣血不足而無水邪宜純用溫補而不用燥滲恐洩之也脉見濡滑沉遲則知邪水泛行宜兼用燥滲若純用溫補則邪水停畜日盛精氣愈奪而虛飲食必不運化與補藥

始焉相爭而不合繼焉相混而爲祟蓋脾畜水邪爲濕而積飲食藥餌并爲濕熱濕熱之火損肺金人誤以爲心火克肺而不知脾火之克肺也溫補而不知兼用燥滲以逐水邪雖曰補土以生金其實釀濕熱之火以克金所謂生之而反克者也且腎邪泛水則正木不足肝木失其母則相火動而侮肺人誤以爲心火之克肺而不知肝火之能克肺也夫臟腑之病皆有傳變由於不知瀉子之法不知瀉子之法則不

知補母之法其失相符也醫印

孫眞人曰萬病橫生年命橫夭多由飲食飲食之患過於聲色聲色可絶之踰年飲食不可廢於一日爲益旣廣爲患亦深且滋味百品或氣勢相伐觸其禁忌更成沉毒緩者積年成病急則災患猝至也飲食之利運化營衛行百脉以朝寸口若其溜滯生變未甚則尚行百脉朝寸口而見太過不及之類甚則并不能行百脉朝寸口故一動二動以次應少而脉散

也叔和曰代散者死

食氣入胃散精於肝者飲固因水食亦水變化成之水之精生子卽賴子之力以運行之胃主納而脾主化所以化者實肝風之無微不入也飲入於胃先上輸於脾以就化而散精飲養陽氣食養陰氣飲必會於脾此陰陽之交而成氣也飲食入胃肝木之風迎入以運化故曰人迎迎入而飲食之氣盡歸三焦三焦先起于中焦升降乎上下二焦也人迎寸口之脈

引繩平等飲食之入與風之運行分量相因如受得幾多飲食恰好迎入幾多風以運行風非外至即吾身自然呼吸之風也若飲食不及呼吸之風其權不能由己以行遂有外來之賊邪乘之雖曰傷風寒其實飲食之量不能與風相稱故感風而入也如飲食太過呼吸之風其權亦不能由己以行遂使清濁不能別糟粕留滯以爲祟此爲傷食人迎大於氣口爲傷風寒者雖治人迎之太過必準于氣口之不及以

爲治用表藥汗解後當徐議溫裏之法葢原因飲食之不及故培補之以與人迎平此氣歸于權衡之旨也氣口大於人迎者必準於人迎之不及以爲治用裏藥清利後卽當議溫補治表法簡而治裏法詳内經虛實論曰邪氣實則盛精氣奪則虛邪氣者風寒暑濕燥火精氣卽正氣乃飲食所化之精微治實有巧法亦有速法治虛無巧法亦無速法重氣口者正以人病之虛居多皆由精氣奪之故以精氣皆由飲

食之故也以飲食之太過不及皆準於此也氣口見亟脉數應少動而即散者精氣奪之極耳孟子謂小害大賤害貴歸咎飲食之人不但萬鍾失本心乞餘羞妻妾也實則自戕軀命猝罹夭折莫不由飲食經言九横亟食居其五讀此亦備一

註疏

膀胱中津液之甚清者上升入膽藏爲精汁上養目精中行威斷下典龍火凡十一臟腑皆取决於膽膽

爲六腑之首脉從左足少陽所屬肺爲五臟之元脉
從右手太陰所屬
或問五臟各有腑觀大小腸胃皆有上下出入之口
而膀胱獨有下出口而無上出口膽有上出口而無
下出口何也蓋膀胱者腎之腑其源在於闌門之旁
津液下流膂膜之間滲入膀胱至滿溢則瀉出故無
入口而有出口水走下又居下焦之下下焦主出而
不主納故也膽者肝之腑肝藏血血之精儲畜于膽

是以有上入口而無下出口也其味苦心血之本性亦子寄母室之義

五藏六府百關百脉津液光華皆本於腎故經云主諸六府九液源是也莊子云真人息以踵踵者命門也其氣息于命門綿綿長存所謂胎息也氣本生于腎若息于他處必無是理或云踵者相繼之義是人之所以繼續不絕處

宋王逵曰人中至尾閭爲督脉屬陽齦交至會陰爲

任脉屬陰兩臂表爲陽裏爲陰在身之上應天傾西北故臂斂歸內兩股外後爲陽內前爲陰在身之下應地不滿東南故膝屈向後身之上象西北法天爲陰不足身之下象東南法地爲陽不足也

三魂七魄之說本于洛書九宫之位三居于東爲木主藏魂者肝也七居于西爲金主藏魄者肺也

七損八益之說始于軒岐然實不離乎易數也九爲老陽六爲老陰數之極也極則不生惟變化耳八爲

少陰七爲少陽少則生育故八変七七変八八変七是以女生七月而齒七歲而齓二七而天癸至七七而天癸絕七変八是以男生八月而齒八歲而齓二八而天癸至八八而天癸絕葢男子少陽得七數其根實在于八女子少陰得八數其根實在于七也四根三結之説者手與頭并腦腹及足爲十二經之根皆在此四處故曰四根也手之三陽結于頭足之三陽結于足足之三陰結于腦腹手之三陰結于手

葢手足各有三陰三陽必同結于一處故曰三結也又一說手三陽一根也手三陰一根也足三陽一根也足三陰一根也是謂四根太陽爲開陽明爲闔少陽爲樞陽之三結也太陰爲開厥陰爲闔少陰爲樞陰之三結也

五臟募皆在陰腧皆在陽五臟皆繫於背陽也京門期門章門巨闕中府皆在腹陰也陰病行陽陽病行陰故募在陰腧在陽也

按靈樞脉腧圖曰。巨闕在胸前。任脉所發。心之募也。期門在胸肋端。肝之募也。中脘在上脘下一寸。手三陽所生。任脉之會。胃之募也。日月在期門下。足太陰少陽陽維之會。膽之募也。京門在監骨腰中。腎之募也。關元足三陰任脉之會。小腸之募也。中極在關元下。足三陰任脉之會。膀胱之募也。

督脉起下極。上循脊中。過腦。額鼻。至於齗交。任起中極。循腹臍。上至胸喉。承漿。蹻維衝帶。周旋聯絡左右

手足諸經脉俱兩分對待而行惟膀胱在脊兩旁連支別共四路俱係背上至頭足仍合兩路周身脉理整齊通貫如纓絡護體自暴者辜負不少

孫真人曰人之脉絡周流於諸陰之分譬猶水也而任脉則爲總會故名陰脉之海任之爲言妊也乃生養之本調攝之源督則由會陰而行背任則由會陰而行腹人身之有任督猶天地之有子午可以分可以合分之以見陰陽之不離合之以見渾淪之無間

一而二二而一者也明督任以保其身如賢君愛民以安其國也

身有七衝門唇爲飛門齒爲戸門會厭爲吸門胃爲賁門太倉下口爲幽門大小腸會爲闌門下極爲魄門

經有十二五藏六府十一耳其一經者手少陰心主别脉也心主與三焦爲表裏是以經有十二

經有十二絡有十五餘三絡者陽蹻之絡陰蹻之絡

脾之大絡故絡有十五

身有八會熱病在內者必取其會之氣穴以治之不可不知也腑會太倉在中焦之下臟會季脅在臍之右筋會陽陵泉在右膝之後髓會絕骨在左足脛之後血會膈俞在左肩之下骨會大杼在後項之下脉會太淵在左手寸關之間氣會三焦外一筋直兩乳內也

經言所出爲井所入爲合井者東方春也萬物始生

故曰井合者北方冬也陽氣入藏故曰合

按五臟各有井榮腧經合如左手少陰心經少冲在小指之側井也少府在小指節後陷中榮也神門在掌後兌骨之端陷中腧也靈道在掌後一寸五分經也少海在肘內廉節後合也左足少陽膽經竅陰在小指次指之端井也夾谿在小指次指岐骨間榮也臨泣在夾谿上一寸五分腧也陽輔在足外踝上四寸經也陽陵泉在膝左側下一寸

合也其餘諸臟彷此　腑獨有六者三焦行於諸陽故置一腧名原臟則無原穴矣　諸經之井皆在手足稍肌肉淺薄不足以補瀉今當瀉井者瀉其滎井爲木滎爲火火乃木之子謂實則瀉其子也故有補者不可爲瀉瀉者不可爲補之說又有刺滎無傷衛刺衛無傷滎之說

毛乃血之餘三陽之毛皆顯于首太陽之毛髮也少陽之毛眉也陽明之毛鬚也太陽居上少氣多血故

髮自幼即有而日能長少陽居中多氣少血故眉自幼即有而不能長陽明居下多氣多血故鬚旣壯始有而亦能長以是知緣血然也婦人無鬚者蓋衝脉並陽明行月事以時去使陽明之血不能充由血虛所以鬚不生也宦者傷其厥陰之絡耗其陽明之血故亦無鬚而天閹之人則陽明之血原不足耳三陰之毛皆潛于體太陰指毛也少陰腋毛也皆多氣少血故不能盛厥陰陰毛也厥陰少氣多血而獨能盛

然三陰之毛幼皆無旣壯始生也
男子之氣始于子子在下起故氣鍾外腎外腎者督任二脉之交也女子之氣始于午午在上起故氣鍾兩乳兩乳者肺肝之脉始終也
女子經色赤而乳色白白者金之氣也金爲氣化之原乳爲賦氣之始是生養之根也
女人產育哺養以乳乳居經絡氣血始終之間也蓋自寅時氣始于手太陰肺經出手雲門穴雲門在乳

上陰陽繼續以行周十二經至丑時歸于足厥陰肝經入于期門穴期門在乳下出于上入于下肺領氣肝藏血乳正居其間也

男得陽氣根于子女得陰氣根于午男子之生也抱母向于子女子之生也負母向于午也或曰男生必伏女生必偃謂男陽氣在背女陽氣在腹予謂非陽氣也乃生氣也男氣盛于陽女氣盛于陰背爲陽腹爲陰觀溺水而死者男伏而女偃

人身有六欲內院亦名黃宮以兩腎有六癸玉女專主作強其鋒甚銳經云斬馘六癸作強鋒庶黃芽滿院而不溢也故曰莫教芽蘖溢黃宮古之至人所深戒

月令先雷三日奮木鐸以令兆民曰雷將發聲有不戒其容止者生子不備必有凶災是三代盛世雖民間夫婦牀笫之私王者之教化亦必及之所以無夭札瘥癘也後世慮不及此愚夫愚婦遂如鳥獸不知

所忌而所生者賢才少暴惡多甚至殊形異狀妖祟所凭如語怪編所載北直人痾有一人兩體者自項以下胸腹相聯其陰一男一女又有腰背相聯其陰俱男太倉高舍人見男女合爲一身者男活女死不言不食不便溺二臂抱男身而巳又弘治中常熟縣民婦生兒一身兩頭陸粲聞之周媪言曾爲人家看產有四頭連綴一項者驚懼殺之唐李石言日月蝕而犯者生兒多疾晦朔弦望而犯者生兒愚痴瘖啞

鈎絞忿戾逐陣而犯者生兒多凶暴无禮亦猶木日造麴而酸水日造醬生蟲九焦日種穀則不生芽六合日遣鬼鬼不去火日安舂則蜜苦土日種蘇則不茂也

玉經天門子云陽生立于寅純木之精陰生立于申純金之精夫以木投金故陰能疲陽也陰人喜著脂粉法金之白也又陰人之情有急于陽然而外自收抑不肯請陽者金不爲木屈也陽氣剛燥至于遇陰

則氣色和柔辭語畏下木之畏金也故有兩斧斫枯樹之喻

木未有不畏金者男何以偏悅女而樂就其刃此出世聖人每每謂之愚痴也然則修眞之士拒絕聲色但如木避斧斤耳不知者以爲高潔失其旨矣

銀入爐中銷一遍耗一遍人入輪中來一回低一回

人之一體所以死壞者有三十九處以受鬼氣形有

閒孔血有虧迭死氣日進邪氣引入精神不通津液沉滯

人有八漏目淚肝漏鼻涕肺漏口唾腎漏外汗心漏夜盜汗小腸漏寢而涎腦漏夢與鬼交神漏淫慾身漏皆五陰六入十二根塵之所交接

周身穴法世罕真傳藥餌易誤鍼灸或傷嘗思古法易簡但按周身穴道以治臟腑之患惟知道者能之

昔馬丹陽真人以天星十二穴治病曰三里曰內庭

曰曲池曰合谷曰委中曰承山曰太冲曰昆侖曰環跳曰陽陵曰通里曰列缺

里中鄭載之先生遇異人茅華峰授按摩治病之法凡醫藥不治者悉能活之巳亥夏余病幾危延先生如法治而愈其法以認取穴道爲要藏府隱患皆於穴道按摩不用湯砭立起沉疴眞秘傳也其言曰治症先取公孫穴爲主次取各穴應之公孫二穴通衝脉及脾經人身一大竅會也穴在足大指本節內側

後一寸陷中赤白肉際是穴令病人坐合兩足相對取之可治三十六症又如治中風取中冲等穴治傷寒取期門三里等穴治虛損吐血取膏肓等穴治心疼取太陵等穴之類歷歷有效又曰人身有四總穴不可不知肚腹三里在手曲腕下二寸腰背委中曲膝後頭項列缺布腕對大指下一寸面目合谷虎口中也又諸穴名甚異而治症亦奇者曰神道脊骨第五節下曰長強曰子宮奇經外穴曰雲門曰陰郄曰青靈曰靈道曰三陽絡臂腕側曰四瀆

曰天井・曰天髎・曰天牖・曰瘈脉・曰絲竹空・眉後陷中曰二間・手大指次指前曰三間・二間後曰偏歷・曰溫溜・曰三里・肘外曲池下・曰五里・肘上三寸曰天鼎・曰木窌・曰扶突・曰迎香・曰養老・手踝骨上曰支正・曰天宗・曰天窗・曰太白・足大指側曰三陰交・曰膺卿・曰大包・曰陰市・曰歸來・曰太乙・曰不容・在乳下・囟門旁曰四白・曰照海・曰大赫・曰四滿・曰步郎・曰神封・曰神藏・曰彧中・曰攢竹・曰曲差・以下三穴俱在頂曰五處・曰通天・曰絡却・曰天柱・曰神堂・曰譩譆・肩髆內廉曰意舍・曰

志室・曰柣邊・曰承扶・曰飛陽・曰僕參・曰金門・曰至陰・在足小指外側曰蠡溝・曰中封・曰中都・曰羊矢・曰客主人在耳前骨曰浮白・曰本神・曰日月在期門下曰光明・在足外踝上曰懸鍾曰丘墟・曰臨泣在足小指曰地五會・皆世人所不及詳也・又曰八邪・諸穴不入經絡在兩手十指八縫中治手指拘攣紅腫一切諸症・踝骨二穴亦不入經絡在足兩內踝骨尖上・治牙疼頰腫喉閉咽痛諸症・又諸書所未載者・如膝頂二穴治穿骨疽在內踝中腫痛

欲死荅穴二穴在掌後五寸半治馬卩毒毛鼻下腫潰如馬卩劍巨二穴在掌後三寸四分治馬刀毒發耳後痛入項侵髮際堅如石肘尖二穴治五癭發耳後令頭項腫痛及腸癰等症孫真人云腸癰之症人多不識治之誤即殺人其症小腹腫硬小便如淋汗出惡寒腹膨水聲或臍瘡或便血宜速救之金門二穴在掌後三寸有半與足太陽膀胱經金門在足外踝下者不同彼治霍亂尸蹷暴疝小兒發癇此治瘰

瘫惡瘡。横骨二穴在膝下外臁横骨。與足少陰腎經横骨在少腹下者不同。彼治腹脹小便澁。此治坐馬癰。諸穴皆得之異授云余但聞其略。詳載周身圖穴諸書。以授常煞上人。如法救人。全活亦衆。

徽牋八編內鏡上終

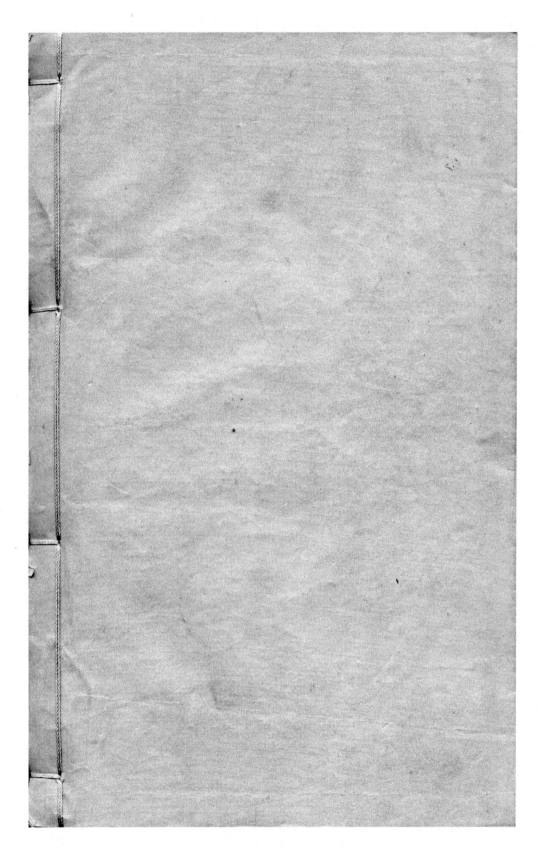

内鏡

徹賸八編　内鏡下

碧幢山隱劉思敬輯

診候徵商

脉者氣血之所動也。雖附於氣血。而非氣非血。陽日則氣先血後。陰日則血先氣後。脉居其中。如水之瀾。因風與水遇而成。不可名之爲風與水也。脉因氣血而動。不可名之爲氣與血也。

内經以三部各有天地人三而三之爲九候上中下

不定乎寸部之位與難經之上爲寸中爲關下爲尺不同上部俱定於頭面兩額之動脉即下文天以候頭角之氣此脉在額兩旁瞳子髎音寥骨空處聽會等處動應於指耳側之動脉以候人兩頰之動脉即下文地以候口齒之氣此脉在鼻孔下兩旁近於巨髎之分動應於指是則面部不但色診且脉診矣

一蒼曰面部脉診問世有幾人知

中部之三候俱於寸診其地候胸中之氣則氣口也

下部之天候於關之肝地候於尺之腎人候於脾胃之氣三部之候天位乎上人位乎中地位乎下獨下部人候反在天之上者天氣下降接乎地之陰氣此地中之天也人高乎地則高乎地中之天矣內經於中部之三候舉一手太陰以槩其餘手太陰者百脈之所會大中之中故應中部下部之三候舉一足太陰以槩其餘足太陰者陰土也陰與土其氣俱下故應下部經云按而彈手足踝者所以盡兩太陰脉之

量周悉無遺也諸脉獨於兩太陰加意者太陰屬坤坤爲胃氣手太陰之中部天而即統乎中部之地與人貴天之中也足太陰之下部人而即統乎下部之天與地貴人之中也天人之際得中而地道自寧不必揭地之中且以知天人之中即胃之中即地之中也內經之旨精與非神聖不能窮其理 二則醫印

一蒼曰發明九候部位兩經不同眞開千古心胸矣

浮山亦宗前說云三部九候之法兩額動脈太陽所行以候頭角氣上部天也兩頰動脈鼻孔兩旁近巨髎陽明所行以候口齒上部地也耳前動脈陷中少陽所行以候耳目之氣上部人也手太陰經渠以候肺中部天也手陽明大腸合骨以候胸中之氣中部地也手少陰神門以候心中部人也毛際外羊矢下寸半陷中五里分臥取以候肝下部天也太谿以候腎下部地也魚腹上直五里下箕門分沉取以候脾

趺上衝陽之分穴以候胃下部人也三而三之合則爲九九分九野爲九藏神藏五形藏四也內經順三才以表舉其實人皆在中

十二動脉太淵在寸手太陰肺也陽谿在手合骨上手陽明大腸也衝陽在趺足陽明胃也衝門在腹下前股溝縫足太陰脾也陰郄在神門內手少陰心也天窗在喉旁手太陽小腸也委中在膕宛足太陽膀胱也太谿在踝裏旁足少陰腎也勞宮在掌心手厥

陰心包絡也和髎在耳與目之間手少陽三焦也懸鍾在外廉踝之上足少陽膽也太衝在足大指上趺足厥陰肝也此以十二經循環言兩太陰肺脾兩陽明大腸胃是濕土燥金相代錯以化用也子隨母居土旺金盛故太陰爲臟位與陽明隔而氣相合爲腑也兩少陰心腎兩太陽小腸膀胱是君火寒水代錯以化用也火從水化水隨腎至故少陰爲臟位與太陽隔而氣相合爲腑也兩厥陰心包絡肝兩少陽三

焦膽是風木相火代錯以化用也相火寄於肝腎膽者肝之腑心包絡者腎之配故厥陰爲臟位與少陽隔而氣相合爲腑也一少陽二陽明三太陽一厥陰二少陰三太陰故少陽與厥陰陽明與少陰太陽與太陰相衡合也少陽中見厥陰合矣陽明與太陰合太陽與少陰合則峙合也陽明中見太陰言病生於濕土也厥陰中見少陽言病乃相火爲之是從中也心腎小腸膀胱水火互根各隨見證而治是從本從

標也・少陽之病・直治相火・太陰之病・直治濕土・是從本也・風從火斷則汗之・燥與濕兼則下之・燥通大腑・濕利小火・皆下也・肝膽三包心小皆火・脾胃腎肺大膀皆濕・十二經有約幾焉・張璣診手而復診趺陽太谿・正謂三陽以胃爲主・三陰以腎爲主也・

内經尺寸・尺外以候腎・尺裏以候腹中・附上左外以候肝・内以候膈・右外以候胃・内以候脾・附上右外以候肺・内以候胸中・左外以候心・内以候膻中・前以

候前後以候後上竟上者胸喉中事也下竟下者少腹腰股膝脛足中事也微論曰外以候陽內以候陰腎肝胃肺心皆近背之陽故從外取腹膈脾胸與膻中皆近腹之陰故從內取也大小腸皆在下焦腹中故候之尺裏樞要亦以左尺主小腸膀胱前陰之病右尺主大腸後陰之病今脉訣乃以大小腸候之上部限右尺候三焦似誤 浮山

內經曰人迎者胃脉也龐安常因此辨人迎在喉天

窗上然夾喉分左右何礙於兩手之分左右乎舊云氣口候內傷以五臟之氣必因胃氣而升肺也人迎候外感以肝屬風木外邪迎虛而入也岐伯云肝生於左肺藏於右肺太陰統氣肝厥陰統血也無可謂肝在前稍低而葉偏左肺在後最高而葉偏右人之元氣以火運資胃氣升肝入肺而降旋轉一身晝夜五十營肺朝百脉平旦會於寸口止此太淵肺氣耳因氣知血因浮沉上下知陰陽也臟之陰皆行手足

之面腑之陽皆行手足之背脉在手足則左爲陽右爲陰一陽膽三焦二陽大腸胃三陽小腸膀胱腑屬人迎一陰包絡肝二陰心腎三陰脾肺臟屬氣口故曰浮應皮毛者腑也沉應肌肉者臟也而心肺在上亦以浮應肝腎在下亦以沉應六脉皆和緩者脾胃也是謂平脉此豈可泥滑訣乎仲景曰寸以候氣尺以候血槩幾尤簡人迎氣口謂關前非寸前寸口人迎不得其平主病寸口居右手寸關之間以

其爲肝氣之所會。又曰氣口。曰脉口。人迎居左手寸關之間。六氣之初。足厥陰肝木之所受。故曰人迎。靈樞禁服篇曰。寸口主中。人迎主外。兩者相應。俱往俱來。若引繩大小齊等。春夏人迎微大。秋冬寸口微小。如是者爲平人。人迎大一倍於寸口。病在足手少陽。二倍病在足手太陽。三倍病在足手陽明。四倍曰溢陽。爲外格。不治。寸口大一倍於人迎。病在足厥陰手心主。二倍病在足手少陰。三倍病在足手太陰。四倍曰溢陰爲内關不治内經終始篇曰人迎與太陰脉口俱盛四倍以上曰關格與之短期蓋平則中和不平則盛而躁陽單行陽而不交陰陰單行陰而不交陽陰陽不得其所陽躁而陰亦躁如男女之怨曠多事也陽躁易辨陰躁難知辟之氷裂而有火硝石冷而發火若能于一倍杜其端而審其本末庶不漸至加甚矣

脉度三部尺部獨長以徵胃氣毋氣從來以掌後高

骨爲關之準關前爲寸抵魚際關後爲尺抵尺澤高骨不必言掌後已隆起于掌前魚際者掌之盡處尺澤者股之盡處寸止九分陽數也尺實一尺陰數也素問脉要精微論曰上竟上者胸喉中事下竟下者少腹腰膝脛足中事舉胸喉而項首已寓矣今人不知魚際在掌盡處但於寸之上略移一分便以爲上竟上其候尺澤愈不知竟至股盡處亦於尺之下略移一分便以爲下竟下皆未明竟字之義也寸爲陽

乾父主施尺爲陰坤母主受乾父一施之外其受而生成者皆坤母故寸之度短而約尺之度長而豐卽母氣胃氣之居多也自尺抵尺澤股盡處上約而下豐其形已如胃矣下竟下候少腹腰膝脛足中事其未竟之上尺部而下仍分三部候之自頂至踵皆可以候人有脉絶而尺澤不絶亦謂之有胃氣不可便斷其死也

一蒼曰岐黄秘旨經師説破世人目不睹内經則

以爲創論耳

脉有單切有兼切有兼中之單切有單中之兼切切法用舉按尋三法輕手循之曰舉取浮重手取之曰按取沉不輕不重委曲求之曰尋取中此三候各有兼切有單切有兼中之單單中之兼兼切者三法俱用如浮中沉取兼浮中取兼中沉而取單切者各用一法如單用浮取單用沉取兼中之單切者四難曰心肺俱浮然浮而大者心也浮而短濇者肺也肝腎

俱沉。然牢而長者肝也。按之濡。舉指來實者腎也。夫單切兼切。中不獨取。而單中之兼切。脾又獨以中行。單中之兼切者。本篇所謂一陰一陽者。謂脉來沉而滑也。一陰二陽者。沉滑而長也。一陰三陽者。浮滑而長。時一沉也。所謂一陽一陰者。脉來浮而濇也。一陽二陰者。長而沉濇也。一陽三陰者。沉濇而短。時一浮也。須分其部位。察其症候治之。此但舉浮沉滑濇長短六脉。以類推其餘。

一蒼曰單中之兼變化從出先生診治獨詳按脉合症如影隨形如響應聲皆以內經難經叔和眞脉經爲則至高陽生脉訣一字不用方不誤詳載醫印脉之類至繁以三避三就候之中指而陰陽了然三就爲實脉三避爲虛脉當分別陰陽以爲治法陰陽者浮中沉三候俱有浮爲陽沉爲陰中爲半陰半陽輕手循之中指而來浮就也重手取之中指而來沉就也不輕不重委曲求之中指而來中就也三避反

是三就爲陰陽俱實法當兩瀉三避爲陰陽兩虛法當兩補其就避之各見以三分權之因量以治之陽實陽虛陰實陰虛皆兼腑而消息補瀉之診部不同如傷寒則取十二經之陰陽虛實總候雜證則按中脉侵而取之看在何部何經以別陰陽虛實治之勞傷則取之兩腎左尺弱爲水不足陰虛也右尺弱爲火不足陽虛也王太僕但定兩腎大槩之虛實必須合兩腎之避就如何乃以證對之當補陰幾分瀉陽

幾分或補陽幾分瀉陰幾分庶不偏枯葢人之受病既不得中其陰陽所傷之太過不及實有分兩非陽實陰虛者三分皆陽無一分陰陰實陽虛者三分皆陰無一分陽夫三分皆陽必於傷寒陽證見之傷寒陽證見陰脉者不治以其無一分陽也若使勞傷之人無一分陽則早爲傷寒陽證見陰脉之鬼矣安能留以待壯水之主耶三分皆陰必於傷寒陰證見之傷寒陰證見陽脉者生以其尚有一分陽故也若使

勞傷之人無一分陽早爲傷寒陰證不見陽脉之鬼矣安得留以待益火之源耶夫三就三避之脉不見於傷寒而他見者必其就避之間自有胃氣胃氣者陰陽之中和也不得謂之孤陽獨陰矣使無胃氣而以三就三避見其人即免於傷寒不免於暴死矣粗心者以陽虛陰虛陽實陰實判離兩途一遇陽虛陰實之證輒純用補陰以瀉陽其禍流爲孤陽獨陰而不可解或陰陽雜補雜瀉又不知分內外與內外之

間謬爲下劑奈何

一蒼曰就避二字可括諸脉之奥非得異授斷不能知

人秉中和而生診者先識胃氣胃氣者三陰三陽之界中間一線是也五臟之胃氣通表裏兩手各六經隨宜依時得平胃氣之診居六部之先未診六部先平指於六部之中取之有脉絶而尺澤不絶者不死

一蒼曰先識胃氣此切診最吃緊處　先平指取

中後侵指取病脉古秘法也

陰陽本當相交陰陽之交總貴得中若陽浮陰沉各有太過不及即不交矣此以不出位爲得中以不出位得中爲交非陽脉下於尺陰尺脉上於寸陽爲交也中者土也坤艮皆屬土胃之中乃和以其和氣充足而滿乎位即艮之思不出其位艮雖位不居中而居於寅則生氣之始即爲中和之原百脉之朝於寅肺即歸於艮此不出位之微旨也

凡治病以開路爲治標急着

胃脉之在中間一線者乃卦體也寸爲天關爲人尺爲地三部即三才三才未分渾然乾體三畫至於陰陽必判乾分爲坤則三畫自應間斷三畫雖間斷而中間有一線陰陽實從此生生不已妙用全在此處初平手按之渾渾緩緩似有似無爲平脉重按之實有一線不着兩旁所謂土中也三畫分六則左右手之上畔爲三陽左右手之下畔爲三陰天陽居上地

陰居下也取胃氣者何也萬物資始于乾資生於坤乾施坤受一施之後生成之厚德皆坤之氣坤者萬物之母也故人生得母氣居多胃者土也其卦爲先天之坤舉坤而乾在其中舉母氣而父氣在其中以三指切六斷三指在上象乾六斷在下象坤內經言五運六氣雖不言卦而卦顯然何也每歲司天爲天在泉爲地左右四間隨司天在泉之推移以共化間者在卦體六斷之中四空處爲四間而中間一線則

直上直下通乎天地即司天在泉也總爲五空運氣迭主客每歲司天在泉皆以中和爲貴則即以胃氣爲主之意內經恐五空微之又微難候故即以尺寸候之遂置關不言并胃氣不顯言以胃氣微之又微不若寄之六部然候之尺寸而尚有南政北政司天在泉左右兩間之多端不若候中間一線一落指便知爲簡易也胃脉在中間微緩安靜若看病人待中間一線動在近何經如土折縫便是病根即以指侵

而候之審察病源得之在此運氣之生克盛衰亦在此使無五空何以分析捉摸此五運六氣雖不言卦而卦顯然卦不過一六坤以坤乃母氣而胃之所以合坤耳究竟斷者非斷有氣貫而相連如卦之三百八十四爻實一爻所謂渾然一中也 七則俱醫印

一蒼曰以四空爲四間以中間直空總爲五空運氣中脉病脉俱候於此至易至簡

虞天民辨命門象門之中闕何得分左爲腎右爲命

門然分左右配六表裏出自難經豈無故乎無可曰天曜何故旋乎旋則左升而右降矣岐伯曰上下有位左右有紀或南面視武北面視要之東升西降則一圖也腎本水而起與火俱其降也火歸于焦謂之腎則言眞水謂之命門則專指眞火也人身左爲氣右爲血兩寸口左人迎右氣口皆於不可分中而以幾析之在人會通詎容泥執

鍼經曰人身經絡始出于雲門終入于期門何也葢

雲門者肺金氣之所發金氣降故下循于臂手期門者肝木血之所歸木血升故上循於腦膺金應秋降木應春升是以二經皆近於心側分東西之義也

難經問十二經獨取寸口註釋已詳然經皆以太陽爲首今脉候十二經却不關太陽爲主何也夫天開于子地闢于丑人生于寅人氣通于寅寅時手太陰之氣始動其應在寸口寸口以候上部肺居五臟之上爲華蓋所以管領一身之氣也

脉有七表八裏九道計二十四見于脉訣而數脉獨無所屬蓋數者陰陽氣血皆有餘所謂太過而不得其中眞病脉也所見則爲病隨其陰陽上中下而察之況病字從丙是以十分病證常言七分熱三分寒所以五藏六府止言火不言水

祝茹穹曰脉不滿五十動而一止爲腎氣先盡故尺脈爲根以五藏各候一動者謬也脉以五十動而不一止者爲平五藏之氣準河圖大衍每藏各合二五

成十爲生成之數初之十動爲肺二之十動爲心三之十動爲脾四之十動爲肝五之十動爲腎呼陽屬肺心吸陰屬肝腎呼吸之間屬脾各因其上中下之位也若不滿五十動而一止是腎氣先盡矣若不滿四十動而一止是肝氣繼盡矣以此次第推之脾肺心三藏皆然有腎氣盡四藏存者未有四藏盡而腎氣存之理此尺脉所以爲根也十一難曰經言脈不滿五十動而一止一藏無氣者何藏也吸者隨陰入

呼者因陽出今吸不能至腎至肝而還故知一藏無氣者腎氣先盡也每藏各十動之義較若列眉矣乃諸家解者相沿謂五動者一肺二心三脾四肝五腎一息五動則徧周五藏何其謬也審如是則不妨一息之外便止而五藏無病矣何以必五動數之足也又審如是則不滿五動者單爲腎絶餘四藏無病乎不滿四動者單爲肝絶餘三藏無病乎據彼之説以每一息周五藏假如至二息第三動而止亦爲脾藏

無氣。然一息之第三動未止。脾藏氣已周矣。豈得指爲無氣乎。又假以四十三動而止。亦爲脾藏無氣。然脾之逢三逢八者屢見矣。又豈得指爲無氣乎。且數息於動間。應指至速。但於每藏記十。則確然不爽。若於中間之動止記所屬臟。差少一動。則屬別藏。如脾本位三。誤以三爲二。則心屬。誤以三爲四。則肝屬。且誤以三爲一有之。誤以三爲五有之。診者專心靜氣。精神既在切脈之浮。沉遲數之類。又記五十動數。豈更暇及一臟一動。總之無是理。因窮極謬解者之非。而況一動應一藏。本經了然。實無此說也。即徧考之內經已無此說近代名流。如李瀕湖亦不免此附和。夫所謂一肺二心三脾四肝五腎者。若曰人之脈一息五至者其理何居。以其合乎五臟故耳。謬解者以辭害意。且妄爲之立圖以一六各五皆列於肺。二七各五皆列於心。三四各五皆列於脾。四九各五皆列於肝。五十各五皆列於腎。支吾乖錯。可發軒渠。謬解者以一動肺。二動心。三動脾。四動肝。五動腎。挨次輪轉。六又爲肺。七又爲心至以五十。故曰一六各五皆於肺。三七各五皆列於心之例也。夫人之所受生者。賴呼吸之氣。無刻不变。皆天樞之轉旋。素問六微大旨論曰上下之位氣交之中人之居也故曰天樞之上天氣主之天樞之下地氣主之氣交之分人氣從之。本經文所云者天氣司天地氣在泉則人氣當是之左右四間之推移升降爲氣交卽在人身呼吸驗之呼陽天氣吸陰地氣所以司呼吸者脾半陰半陽故曰氣交脾在胃之中脘其空處卽中焦脾運中焦之氣以腐化水穀人氣能升降天地之氣以受生卽脾氣之升降四藏之氣以受生一而二二而一非喻也人身合五運六氣其理甚奧而以呼吸統之甚簡也脾上接於肺心之呼下接於肝腎之吸故爲呼吸之間卽中焦之升降乎上下兩焦一而二二而一天非喻也蓋心肺在上焦肝腎在下焦脾在中焦耳樞穴在臍之兩旁係足陽明胃經穴名在臍旁二寸當上下之中以接陰陽呼吸之氣而呼吸之轉竅則始於天樞臍之兩旁即腎堂腎爲北方天樞即北辰北極之義北而名中者非中也中之根也故北極即中星也中之根在腎爲斗柄中之中在脾爲斗口中之上在心爲斗標脰近於柄側肺出於標外爲華蓋腎與心對則子午之符也五十動內而止則中之根絕中之根絕則胃氣絕胃之宗筋與腎相連而中氣相通扶脾以運化者也此皆於氣口候之然上部無脈下部有脈此

爲脈有根本人有元氣故知不死又不必於氣口候之而於尺候之此則氣口寧無而不可數動而止與見代散之脉氣口全無尺部有者諸氣之根皆歸於腎故力量不能至寸非寸脈絕也上部有脈下部無脈其人當吐不吐者死以驗有邪實與否也若有邪實在上生氣不得通達故當自吐其邪而升其氣爲邪實阻閉脈道使下部不能通上部非下部之真無脈也若無邪實自應不吐則下部真無脈矣根絕而

死夫復何疑非不吐之過也且腎脈已絕氣亦必無五十動而止之乎脈此屢驗確然之理也

至脈從下上損脈從上下病根皆由於腎此內傷非外感也至則加之而屬陽損則減之而屬陰陽上也從上而至下從其陽不足者先損陰下也從下而至上從其陰不足者先損故損損也至亦損也陰極陽極皆受病下不足也蓋陽雖上而元陽之氣在下在上者元陽之發而起耳元陽者兩腎中間一點明命

問也此尺之所以爲根也元陽之本氣絶則諸標皆應之肺爲標之標故自肺始素問離合論曰陰爭於内陽擾於外魄汗未藏四逆而起大要皆腎氣之無根而應於肺火陽不足則不歸原妄炎上而剋金水陰不足則無以養竊母氣而損金治此仍當用補母瀉子較虚實之本爲法宜救之於早二則俱茹穹

一蒼曰諸病不論見上見下皆係腎不足知此理可妄施苦寒以損真元乎

河以北坎位也其人多內實江以南離位也其人多內虛內實者陽在內宜寒瀉內虛者陰在內宜溫補兼察脈而後投劑始各當耳

五藏各有剛邪柔邪剛柔相逢令一脈十變一脈變爲二病者邪在氣氣爲是動邪在血血爲所生病氣主呴之血主濡之氣留而不行者爲氣先病也血滯而不濡者謂血後病也

藏病止而不移不離其處府病行而不止居處無常

病欲得寒而欲見人者病在府也病欲得溫而不欲見人者病在藏也七傳者死間藏者生七傳謂傳其所勝也如心病傳肺肺傳肝肝傳脾脾傳腎腎傳心一藏不再傷故死間藏謂傳其所生也如心病傳脾脾傳肺肺傳腎腎傳肝肝傳心是子母如環故生藏病難治傳所勝也府病易治傳所生也或曰藏病傳其所生亦易治府病傳其所勝亦難治難經曰何以別藏府之病數者府也遲者藏也數則爲熱遲則爲

寒諸陽爲熱諸陰爲寒故以別藏府之病

王損菴曰同年郤麟武問學醫須識藥性欲識藥性須讀本草乎曰然讀本草有法勿看其主治麟武曰不看主治何以知藥性曰天豈爲病而生藥哉天非爲病而生藥則曰何藥可治何病皆舉一而廢百耳草木得氣之偏人得氣之全偏則病矣以彼之偏輔我之偏醫藥所繇起也讀本草者以藥叅驗之辨其味察其氣觀其色考其以何時苗以何時華以何時

實以何時萎則知其禀何氣而生凡見某病爲何氣不足則可以此療之矣靈樞經邪客篇論不得臥者因厥氣客於藏府則衛氣獨衛其外行於陽不得入於陰行於陽則陽氣盛陽氣盛則陽蹻滿不得入于陰陰氣虛故目不瞑治之以半夏湯夏至而後一陰生半夏苗其時則知其禀一陰之氣而生也所以能通行陰之道五月陽氣尚盛故生必三葉其氣薄爲陽中之陰故能引衛氣從陽入陰又其味辛能散陽

蹻之滿故飲之而陰陽通其臥立至也李明之治王善夫小便不通漸成中滿是無陰而陽氣不化也凡利小便之藥皆淡味滲泄爲陽止是氣藥陽中之陰所以不效隨以稟北方寒水所化大苦寒氣味俱陰者黄栢知母桂爲引用爲丸投之溺出如湧泉蓋此病惟是下焦眞陰不足故純用陰中之陰不欲干涉陽分及上中二焦故爲丸且服之多也本草何嘗言半夏治不臥黄栢知母利小便哉則據主治而覓藥

性亦何異夫鍥舟求劍乎麟武曰善哉未之前聞也吳鍾聞曰如此論乃眞能讀本草者今人但謂半夏能化痰耳孰知其能治不寐乎半夏湯治目不瞑明載內經而方書不錄人亦罕用余用以治吳定辭覆杯立睡一如內經所云噫內經何負于人而竟弗信反奉淺近之方書爲著蔡哉李明之所立補中益氣湯盛行于世人皆喜其能溫補謂寒涼是所禁用孰知其善用黃栢知母也總之讀古人書須看其全部

未可得其一節。便槩其餘也。
諸病傷寒最重。其症有五。有中風。有傷寒。有濕温。有
熱病。有溫病。其所苦各不同。中風之脉。陽浮而滑。陰
濡而弱。濕温之脉。陽濡而弱。陰小而急。傷寒之脉。陰
陽俱盛而緊濇。熱病之脉。陰陽俱浮。浮之而滑。沉之
散濇。溫病之脉。行在諸經。隨經而取。傷寒有陽虚陰
盛者。汗出而愈。下之卽死。有陽盛陰虚者。汗之卽死。
下之而愈。

祝茹穹曰傷風有傷風寒傷風熱皆輕證也治法宜稍分別或輕散之輕瀉之若誤以爲重而用重劑發散之過勢必引皮膚而傳經絡成外感之證淸利之過勢必陷臟腑而損榮衛成内傷之證抑風寒不可以甘寒之藥益風寒風熱不可以辛溫之藥益風熱誤用甘寒益風寒則寒氣愈閉辛溫益風熱則熱氣愈閉皆可蘊結成重證

寒爲百病之總風爲百病之長其勢相因惟傷寒初

證與傷風彷彿然兩證逈別較若列眉寒乃陰邪風乃陽邪陰邪潑而發乎陽其勢重陽邪淺而發乎陰其勢輕誤以傷寒爲傷風而治以驅陽邪之劑不但不能驅陰邪且引陽邪入陰分而傳變矣以傷風爲傷寒而治以驅陰邪之劑不但不能驅陽邪且引陰邪入陽分而傳變矣實者遇之爲風痓虛者遇之爲陰厥分別一誤禍如反掌

黄帝問人傷於寒而傳爲熱何也岐伯曰寒甚則生

熱也是以傷寒初起手足微冷未見標而先見本也先傳於三陽陽爲熱之屬本之見乎標也繼傳於三陰陰爲寒之屬標之反乎本也其病三時見證霜降之後春分之前或冒嚴寒兼以七情受傷居處不密感而犯之名正傷寒若不卽發而寒邪久客加以房勞辛苦少陰不藏腎水涸竭無水則春木無以養故發爲溫病若復不發延至于夏火威克水眞水不足寒邪益盛故發爲熱病若復不發延至于長夏土氣

既旺以絶水之源而寒邪之陰皆從火化故發爲大熱病其名因時而立有冬寒春溫夏熱長夏大熱之不同其實皆熱病也其治法正須分别若春夏之發悉如正傷寒之證爲證不合時則從證不從時例以仲景傷寒法治之卽天時煖熱仍用麻黄桂枝以發其沉鬱寒邪用之不爲犯也如春分後有太陽病其脉弦數不緊弦數者受春令之溫邪也緊爲寒不緊者未受冬令之寒邪也發熱或怫鬱在内或散在諸

經各取其經而治之爲證合乎時則從證兼從時當取劉河間溫暑之劑酌用蓋傷寒無全書河間本補仲景遺亾非不遵仲景也

傷寒正傳三日未滿之前邪在表可汗三日旣滿之後邪在裏可下邪去病愈不過十日以上否則死在七日之內素問熱論曰傷寒一日巨陽受之故頭項痛腰脊強二日陽明受之陽明主肉故身熱目疼而鼻乾不得臥三日少陽受之少陽主胆故胸脅痛而

耳聾三陽經絡皆受病而未入於臟故可汗而已當汗不汗表證不除則傳入裏四日太陰受之太陰肝布胃中故腹滿而嗌乾五日少陰受之少陰脉貫腎故口燥舌乾而渴六日厥陰受之故煩滿而囊縮入裏之深至小腹下循陰器爲陰之盡故曰厥及此時可泄而已若叉當下不下則三陽三陰五臟六腑皆已受病營衛不行五臟不通其人必死其死皆在六七日間者此也此六經正傳原非兩感於寒爲必死

之證因失之汗下其勢遂與兩感同耳若三日未滿之前失之汗三日巳滿之後及早下之則六經傳盡自應病勢漸衰正以初時所感之邪太甚以次相傳亦以次而愈在十日以上也

傷寒變傳更當細辨李東垣曰太陽病若渴者自入于本也名曰傳本太陽傳陽明者名巡經傳太陽傳少陽者名越經傳太陽傳少陰者名表裏傳太陽傳太陰者名誤下傳太陽傳厥陰者名巡經得度傳陶

節菴曰或自太陽始日傳一經六日至厥經而愈者或不罷再傳者或間經傳者或傳二三經而止者或始終只在一經者或越經而傳者或初入太陽不發熱便入少陰而成陰證者或直中陰經者或兩經一經齊病不傳而爲合病者有一經先病未盡又過一經之傳而爲併病者有太陽陽明合病者有三陽合病者若三陽與三陰合病卽是兩感茹穹子解曰傳本者第二日當廵經入陽明而不循經仍是太陽之

證。則即謂之本病也。可廵經傳。即正傳。越經謂第二日驗陽明而入少陽也。表裏傳者太陽膀胱與少陰腎本表裏。今不循經而入。只以表循裏也。誤下傳者陽經本先循上。今不循經錯誤而傳於下也。廵經得度傳。謂太陽本不廵經而能遍歷諸經。超而度越之。非自陽明以至少陽三陰而入爲廵經也。若果廵經則不謂之變傳矣。惟不罷再傳。决無此理。因成無巳註釋之謬。而後人信之。誤以爲再傳再用汗法重竭之爲禍不小越經止就太陽一經傳少陽言之間經如太陽不傳陽明而傳少陽或陽明不傳少陽而傳太陰之類傳二三經而愈者或太陽傳陽明而止或傳至少陽而不入陰經有表邪而無裏邪也始終只在一經者不傳也或太陽一日至六日或陽明一日至六日或少陽一日至六日三陽表證有此裏證無之蓋裏證則爲直中陰經其勢甚重不能待一日至六日也初入太陽不發熱便入少陰成陰證者有似

乎表裏傳以不發熱爲異表邪陷入於陰也直中陰經者無表邪而有裏邪也兩經三經齊病不傳而爲合病者或太陽陽明合病或三陽合病或陽明少陽合病單舉表證者以裏證三陰雖逐經傳其勢多相因隱隱爲不傳合病也三陽與三陰合病此傷寒之極證無以加矣然言兩經三經合病應有四經五經合病而皆爲兩感特不如六經合病爲兩感之甚耳

一蒼曰正傳證易辨變傳證難識治法亦不易先

生立分别治法。用方印定。然後活法隨人。詳載醫印

損菴醫論曰。岐伯有云。風氣藏於皮膚之間。内不得通。外不得泄。風者善行而數變。腠理開則灑然寒。閉則熱而悶。寒則衰飲食。熱則消肌肉。中風將發之前。未有不内熱者。熱極生風。風子能令母實。故先輩謂以火爲本。以風爲標。法當降心火。爲主。心火既降。肝木自平矣。此泄其子之法也。若作風治。而以辛熱之藥疏之。固貽害不小。而調氣一法。亦百無一驗。殊不知

猝中之初有决不可吐者有决不可進辛劑卽姜湯亦禁用者　近見五藏氣絕昔人所不治者以大劑參芪濃湯灌之多有得生者可見世無不可醫之症而昔人徒認此症爲有餘而不知其起於不足每見投以順氣疏風之藥往往長逝遂目爲氣絕不治之候也則其他虛症爲醫所誤者可勝計哉時醫初用八味順氣散不效巳而用二陳四物加胆辛天麻之類自謂穩當之極而竟皆誤人何也葢妄以南星半

夏爲化痰之藥當歸川芎爲生血之劑而泥於成方不能變通故也豈知通血脉助眞元非大劑人參不可而有痰者惟宜竹瀝少加姜汁佐之不宜輕用燥藥至于歸地甘枯能滯脾氣使脾精不運何以能愈癱患豈若人參出陽入陰少則留而多則宣無所不達哉其能通血脉雖明載本草人誰信之余里中一老醫右手足廢不起牀者二年矣人傳其不起過數月遇諸塗問之曰吾病幾危矣始服順氣行痰之藥

了無效薄暮神志輒昏度不可支命家人煎進十全大補湯即覺清明遂日服之浹數月能扶策而起無何又能舍策而步矣經云邪之所凑其氣必虛吾治其虛不理其邪而邪自去吾所以獲全也余曰有是哉使進順氣疏風之藥墓木拱矣

今人止知脾胃虛則當補補之不效則補其母如是足矣而不知更有妙處補腎是也脾土克腎水不相爲用如何反補其所勝以滋肝木曰不然此其妙正

在相剋處也五行以相剋爲用所以大禹謨水火金木土穀惟修此聖人立言之妙其味淡長今且以水與土言之水不得土何處安着土不得水却是一箇燥坌之物如何發生水土相滋此造化相剋之妙而醫家所以謂脾爲太陰濕土濕之一字分明土全賴水爲用也故曰補脾不如補腎至於腎精不足則又須補胃故古人又謂補腎不若補脾二言各有妙理不可偏廢也本事方云有人不進食服補脾藥皆不

効余授二神丸方服之頓能食此病不可全作脾氣治蓋腎氣怯弱眞元衰削是以不能消化飲食譬釜中煑穀下無火力何以能熟黃山谷嘗言服兎絲子淘淨酒浸曝乾日挑數匙以酒下之十日外飲噉如湯沃雪亦知此理也

今治氣疾者止知求之脾肺而不知求之腎所以鮮効夫腎間動氣爲五臟六腑之本十二經脉之根呼吸之門三焦之原房勞過度或禀受素弱腎經不足

氣無管束遂多鬱滯是生諸疾醫者皆以爲當理氣殻朴香附烏藥之類雜然而前陳而氣愈不可理矣宣之洩之以快藥下之而人之死者過半矣所見稍高者以爲脾虛不能運化而從事於補脾然僅可以苟延歲月而多至於因循蹉跌而不救此不知補腎之過也宜以破故紙蘹香子胡盧巴之類主之氣藥内須以和血之藥兼之葢未有氣滯而血能和者血不和則氣益滯矣

攖寧生巵言曰古人言諸見血非寒證皆以血爲熱迫遂至妄行然皆有所挾或挾風或挾濕或挾氣又有因藥石而發者其本皆熱上中下治各有所宜在上則巵子芩連芍犀蒲黃而濟以丹皮生芐之類胃血古有胃風湯正以陽明火邪爲風所扇而血爲之動中間有桂取其能伐木也若蒼朮地榆白芍之類而濟以火劑大腸血以手陽明火邪爲風爲濕也如連芩芍藥蘗皮荊芥防風羌活之類兼用鷄冠花則

又述類之義也　凡出血之症宜降氣不宜降火水曰潤下火曰炎上引其氣而使之下即以水克火之理是降氣即所以降火也若用苦寒之藥以降火火萬無降理葢炎上作苦苦先入心經故芩黄之苦本助火入心經之藥而名爲降火者徒以其寒耳寒能凝血若能傷胃此非但不能抑上升之氣而使之平行橫溢之血而使之歸源害更有不可勝言者可不戒哉　妄行血不妄止血凡嘔血之始未有不胸脇

痛者蓋由起居失節致血停淤之久不能歸源滿而溢焉遂發爲嘔殆非一日之積矣使其流行宜暢又何嘔血之有凡治此者必須用行下之藥宜其餘滯而推陳致新血旣流行胃脘清楚自不出矣是行之乃所以止之也醫每拘犀角芐黃湯等過於凉血雖問或止之其後常患胸脇大痛腫滿等症以致不起蓋血得凉則陳者不行新者不生淤物愈積而眞元愈削故也況血不可止而強欲止之得乎 宜補肝

不安伐肝肝藏血血陰物也陰難成而易虧又肝爲東方木於時爲春爲發生之臟宜滋養而不宜剋伐失血之後肝臟空虛汲汲焉實之不暇而敢以平肝之藥伐之哉余於血溢血泄諸蓄妄症其始也率以桃仁大黄行血破瘀之劑以挫其鋭氣而後區別治之雖往往獲中然猶不得其所以然也後於四明遇故人蘇伊舉論諸家之術伊舉曰吾鄉有善醫者每治失血蓄妄必先以快藥下之或問失血復下虛何

以當則曰血既妄行迷失故道不去蓄積則以妄爲常偈以止之且去者自去生者自生何虛之有余聞之愕然曰名言也又如婦人之血經水蓄則爲胞胎蓄者自蓄生者自生及其產爲惡露則去者自去生者自生其醞爲乳則無復下滿而爲月矣失血爲血家妄逆產乳爲婦人常事其去其生則一同也失血須用下劑破血蓋施之於蓄妄之初血虛不可下蓋戒之於亾失之後

枚生七發太子病已雖是寓言實有此理昔山東楊先生治府主洞泄不已楊初未對病人診治與衆人談日月星辰纏度及風雲雷雨之變自辰至未而病者聽之而忘其圊嘗曰治病先問其所好好奕者與之奕好音者與之樂器勿輟亦一法也

難經曰五臟之積各有名以何月何日得之皆可知也肝之積曰肥氣在左脇下如覆杯有頭足以季夏戊巳日得之蓋肺病傳肝肝當傳脾脾季夏適王王

者不受邪肝復欲傳肺肺不肯受故留結爲積知以季夏戊巳日得也心之積曰伏梁起臍上大如臂上至心以秋庚辛日得之蓋腎病傳心心當傳肺肺秋適王王者不受邪心復欲傳腎腎不肯受故留結爲積知以秋庚辛日得也脾之積曰痞氣在胃脘覆如盤以冬壬癸日得之蓋肝病傳脾脾當傳腎腎以冬適王王者不受邪脾復欲傳肝肝不肯受故留結爲積知以冬壬癸日得也肺之積曰息賁在右脇下覆

大如杯。以春甲乙日得之。蓋心病傳肺。肺當傳肝。肝以春適王。王者不受邪。肺復欲還心。心不肯受。故留結爲積。知以春甲乙日得也。腎之積曰賁豚。發于少腹。上至心下。狀若豚。或上或下無時。以夏丙丁日得之發無根本。上下無所留止。其痛無常處。此積聚之別也。

損菴又云。人身無痰。痰者。津液所聚也。五穀入于胃。其糟粕津液宗氣分爲三隧。故宗氣積於胸中。出於喉嚨。以貫心肺而行呼吸焉。榮氣者。泌其津液。注之於脉。化爲血。以榮四末。内注臟腑。以應刻數焉。衛氣者出其悍氣之慓疾而先行於四末分肉皮膚之間而不休者也晝行于陽夜行于陰常從足少陰之分間行于臟腑實則行虛則聚聚則爲痰散則還爲津液氣血初非經絡臟腑之中別有邪氣穢物號稱曰

清之理何其謬哉吾渡河見舟人掬濁流入甕摻入礬末數分即時澄清此可悟治痰之法也故上焦宗氣不足則痰聚胸膈喉間梗梗鼻息喘短中焦榮氣不足則血液爲痰或壅脉道變幻不常下焦衛氣不足則勢不得痰液隨而滯四末分肉之間麻木壅腫治其本則補之宜先治其標則化之有法略露其端

以需額者之自悟云如稠而不清宜用澄之之法散而不收宜用攝之之法下虛上溢宜用復之之法上壅下塞宜用墜之之法何謂澄之之法如白礬有卻水之性既能澄濁流豈不足以清痰乎然猶不可多用至于杏仁亦能澄清而濟水之性清勁能穴地伏流煑而爲膠最能引痰下膈體此用之所謂澄之之法也何謂攝之之法如大腸暴泄脫氣及小便頻數者益智仁一味遂能收功蓋有安三焦調諸氣攝涎

唾而固滑脱之妙故醫方每以治多唾者蓋取其辛而能攝非但溫胃寒而已所謂攝之之法也何謂復之之法腎間眞氣不能上升則水火不交氣不通而津液不注于腎敗濁而爲痰故用八味丸地黃山藥山茱萸以補腎精茯苓澤瀉以利水道肉桂附子以潤腎燥肉桂附子熱燥之藥何以能潤曰經不云乎腎惡燥急食辛以潤之開腠理致津液通氣也所謂復之之法也何謂墜之之法如痰涎聚于咽膈之間

爲嗽爲喘爲膈爲噎爲眩爲暈大便或時閟而不通宜用養正丹靈砂丹重劑以引而下之使不併所謂墜之之法也至于寒者熱之熱者寒之微者逆之甚者從之堅者削之客者除之勞者溫之結者散之留者行之濕者燥之燥者濡之急者緩之損者益之逸者行之驚者平之薄之刼之開之發之見于素問至眞要大論者應變不窮尤爲治痰之要法在熟察而妙用之不可一途而取也若乃虛症有痰勿理其痰

但治其虚。虚者既復。則氣血健暢。津液通流。何痰之有。今人乃謂補藥能滯氣而生痰。此聾瞶之言。流害無窮已。六則俱醫論

鍾闇曰。損菴論痰與治之之法。可謂詳盡矣。醫者遵此。自能奏功。乃其自序一段。可謂現身說法。婆心救人矣。病者尤當遵之以自養。倘喜唾不休。則愈唾愈多。雖服良劑。奚益哉。是自賊其性命也。余見有蹈此病而說之不悟者。故切言之。

茹穹子曰人腦髓最忌諸香養生家所淺戒蓋髓海者水源之所歸眞氣之所聚鼻竅上通泥丸臭必達之香木類木水之子也子焚則父不安火水之妻也妻焚動則夫不安花下忌焚香況三花聚頂哉麝啖蛇積其穢毒而蘊爲臭遂以感召毒穢而助人淫其戕眞氣也爲甚故佩麝過園圃者花果生氣頓絕趙一蒼曰昔有僧坐禪聞香積之氣心念曰必是齋供或見天仙請赴齋每日如是有明眼師見之謂汝墮

一厠中矣僧不信遂令再赴供回師取厠中一蟲殺之僧方悟以此觀之鼻之於臭能引人爲異類可不戒哉

奇經八脉

人身經絡，内通藏府，外貫筋骸，手足各有三陰三陽，六經左右分行，各有一十二經，上下合爲二十四經，晝夜周身五十度，咸出于自然，有正經以宣行眞炁，必須奇經以督之、任之、維之、蹻之、衝以通之、帶以束之，而後陰不僭陽，不忒，形神俱無離散凝結之患。奇經不講，則調御不得其要，而醫學亦荒矣。

經有十二，絡有十五，凡二十七氣，相隨上下，惟奇經八脉不拘于十二經。譬溝渠以備水利。若天雨滂霈。溝渠滿溢不能制也。此絡脉滿溢諸經不復能拘也。

陽維 脉氣所發。別于金門。在足外踝下太陽之郄。與手足太陽及蹻脉會。與手足少陽會。與督脉會。起于諸陽會。維持諸陽脉。 陽維維于陽。陰維維陰。陽不能維于陽。則溶溶不能自收持。 病苦寒熱。

陰維 脉氣所發。在足少陰築賓穴。 與足太陰會。

又與足厥陰會與任脈會　起于諸陰交維持諸陰脈　陰不能維于陰則悵然失志　病苦心痛

陽蹻　兩足蹻脈本太陽之別合于太陽　與足少陰會又與手陽明會又與手足太陽陽維會與手足陽明會又與任脈會　起于跟中循外踝上行入風池　爲病陰緩而陽急

陰蹻　少陰之別合于太陽　起跟中循內踝至咽喉交貫衝脈　爲病陽緩而陰急

衝　内經謂並足少陰之經・難經謂並足陽明之經・滑伯仁謂並足陽明少陰二經之間・起氣衝並足陽明・夾臍上行・至胸而散・爲病逆氣而裏急

督　至少陰與巨陽中絡者・合少陰・與太陽・起目内眥・起下極之俞・並于脊裏・上至風府・入腦・爲病脊強而厥

任　同足厥陰太陰少陰並行・會足少陽衝脈會足太陰會手太陽少陽足陽明・會陰維與手足陽

明督脉會。起中極之下。以上毛際。循腹裏上關元至咽喉。爲病内苦結男子爲七疝女子爲瘕聚。

帶起足厥陰。同足少陽。又與足少陽會。又曰起季脇廻身一週。爲病腹滿腰溶溶若坐水中有病人腰忽如截斷。呻吟屢日。醫者以爲怪症。余曰非怪也。帶。脉。絶。耳以奇經診法候之果然今人遇陰緩陽急等症。不知病在陽蹻。遇陽緩陰急等症不知病在陰蹻遇逆氣裏急不知求之衝脈遇脊強而厥不知求之督脈而妄于藏腑攻治之舍彼有疾罰及無辜藏腑無辜而被傷則曰非我也病也八脈受症而不察則曰病不可爲也一盲引衆盲斯民何不幸哉

吳草廬曰醫者于寸關尺輒名之曰此心脈此肺脈此肝脈此脾脈此腎脈者非也五藏六府凡十二經兩手寸關尺者手大陰肺經之一脈也分其部位以

候他臟之氣耳脈行始于肺終于肝而復會于肺肺爲氣所出之門戸故名曰氣口而爲脈之大會以占一身焉李時珍曰兩手六部皆肺之經脈也特取此以候五藏六府之氣耳非五藏六府所居之處也知十二經脈於氣口候則知奇經八脈亦于氣口候

氣口九道脈

手檢圖曰肺爲五藏華蓋上以應天解理萬物主行精氣法五行應四時知五味氣口之中陰陽交會中

有五部。前後左右各有所主。上下中央分爲九道診之。則知病邪所在也。

李瀕湖曰：氣口一脈分爲九道，總十三經并奇經八脈，各出診法，乃岐伯秘授黄帝之訣也。扁鵲推之，獨取寸口以决死生，蓋氣口爲百脈流注朝會之始故也。三部雖傳而九道淪隱，故奇經之脈世無人知。今撰爲圖并附其說于後，以洩千古之秘藏云。

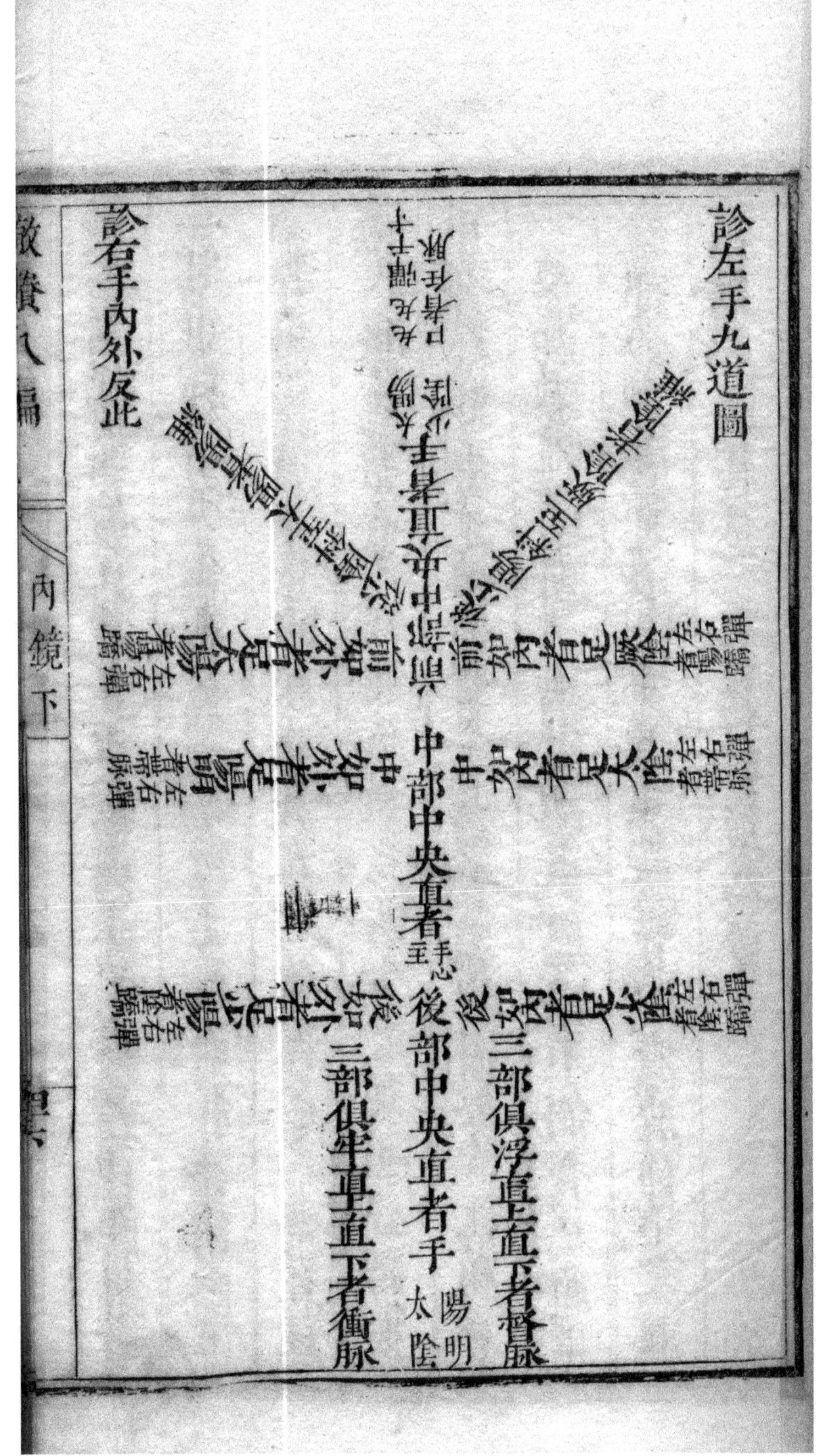
診左手九道圖
中部中央直者手心主
三部俱浮直上直下者督脉
後部中央直者手太陰陽明
三部俱牢直上直下者衝脉
診右手內外反此
徹賸八編
內鏡 下

岐伯曰前部如外者足太陽膀胱也動苦目眩頭項腰背強痛男子陰下濕癢女子少腹痛引命門陰中痛子臟閉月水不利浮爲風濇爲寒滑爲勞熱緊爲宿食

中部如外者足陽明胃也動苦頭痛面赤滑爲飲浮爲大便不利濇爲嗜臥腸鳴不能食足脛痺

後部如外者足少陽也動苦腰背胻股肢節痛浮爲氣濇爲風急爲轉筋爲勞

前部如內者足厥陰肝也動苦少腹痛引腰大便不利 男子莖中痛小便難疝氣兩丸上入 女子月水不利陰中寒子戶閉少腹急

中部如內者足太陰脾也動苦腹滿胃中痛上管有寒食不下腰上狀如居水中 沉濇爲身重足脛寒痛煩滿不能卧時咳唾有血泄利食不化

後部如內者足少陰腎也動苦少腹痛與心相引背痛小便淋 女人月水來上搶心胃脇滿股裏拘急

前部中央直者。手少陰心手太陽大腸也。動苦心下堅痛腹脇急。實急者爲感忤。虛者爲下利腸鳴。女子癃痛。滑爲有娠。

中部中央直者。手厥陰心主也。動苦心痛面赤多喜怒食苦咽。微浮苦悲傷恍惚。濇爲心下寒。沉爲恐怖如人將捕之狀。時寒熱有血氣。

後部中央直者。手太陰肺手陽明大腸也。動苦欬逆。氣不得息。浮爲風。沉爲熱。緊爲胸中積熱

濇爲時欬血・

前部横於寸口丸丸者任脉也・動苦少腹痛・逆氣搶心胸拘急不得俛仰・　脉經云寸口脉緊細實長下至關者任脉也・動苦少腹遶臍痛・男子七疝・女子瘕聚・

三部俱浮直上直下者・督脉也・動苦腰脊強痛・不得俛仰・　大人癲・小兒癇・

三部俱牢直上直下者・衝脉也・苦胸中有寒疝　脉

經曰脉來中央堅實徑至關者衝脉也動苦少腹痛上搶心有瘕疝遺溺女子絕孕

前部左右彈者陽蹻也動苦腰背痛癲癇僵仆羊鳴偏枯𤸷痺身體強

中部左右彈者帶脉也動苦少腹痛引命門女子月事不來絕繼復下令人無子男子少腹拘急或失精也

後部左右彈者陰蹻也動苦癲癇寒熱皮膚強痺少

腹痛裏急腰胯相連痛男子陰疝女子漏下不止
從少陰斜至太陽者陽維也動苦顛作羊鳴手足相
引甚者失音不能言肌肉痺癢
從少陽斜至厥陰者陰維也動苦癲癇僵仆羊鳴失
音肌肉痺癢汗出惡風
予嘗謂醫與命皆精微之學而世俗乃以讀書不成
貿易技窮者業此以博升斗謬矣每念岐黃卽所未
習然榮衛之行與天同運察脉診候一一有盈虛消

息之妙豈其切于吾身而膜視之新安學博吳鍾閶幼與予工舉子業及宦遊又能讀異書救人所不能救之病蓋非以醫鳴者也乃可以醫鳴矣予從而探竿抑以瀕湖九道之說兼察奇經前部直前者手少陰心手太陽大腸也而任脈即寄于此前部如外者足太陽膀胱也而陽蹻即寄于此察脈之處不容半指而任與心與大腸陽蹻與膀胱皆並族而居則將于何辨之鍾閶曰古人云衝督用事則十二經不復

朝于寸口所謂時爲帝也如手少陰心手太陽大腸之脉若有丸丸横于寸口者則是任脉現而心與大腸之脉隱矣止論任脉之病不論心與大腸也足太陽膀胱之脉若有左右彈者則是陽蹻脉現而膀胱之脉隱矣止論陽蹻之病不論膀胱也客脉來主脉退聽若不知奇經脉至仍執本脉求之豈有當乎餘者倣此

予又謂分寸關尺以定臟腑部位者但診法之一說

耳泥此則失經曰心肺同浮肝腎同沉脾在中州似不分部位而以浮者皆屬之心肺以沉者皆屬之肝腎矣然同一浮而心與肺安別同一沉而肝與腎安別鍾閣曰同一浮也如三菽之重與皮毛相得者肺脉也如六菽之重與血脉相得者心脉也中而候之如九菽之重與肌肉相得者脾脉也同一沉也如十二菽之重與經平者肝脉也按之至骨舉之來疾者腎脉也或從本部或從各部皆可類推且心脉之浮

浮大而散。肺脉之浮，浮濇而短。肝脉之沉，沉而弦長。腎脉之沉，沉石而濡。脾在中州，脉象和緩。右尺相火與心同斷。更以時令之衰旺生尅參之，無遁情矣。此雖備載經論，然博綜古學，如鍾閶葢亦罕矣。

華佗陰海陽海二圖曰：任爲陰脉之海。任者，妊也。此人生養之本也。督爲陽脉之海。督者，都也。此陽脉之都綱也。人脉比於水，故云海。二脉爲一身陰陽之海，五氣眞元。此爲機會而斷交二穴，在唇内齒上縫爲

督任二脈之交一身之要世人罕知經云一物含五彩永作仙人祿言其備五行之英華也修真者恒秘之

瀕湖謂三部雖傳而九道淪隱故奇經之脈世無人知吳鶴皐謂手檢圖脈法惟融通之士能知若痴人前語夢是賊之耳自高陽生七表八裏九道之說行而奇經九道診法反掩噫此道難言之矣甲者守高陽生之說爲蓍蔡童而習之白首以課其子弟高者

以其書贋遂委棄而羞言之因從事於脈經如涉大海菸無津涯朱子曰古人察脈非守寸關尺之説夫守之固非棄之亦非奇經且勿論即如大腸一經高陽生欲於肺脈候關之者欲于右腎候小腸一經高陽生欲于心脈候關之者欲于左腎候三焦一經高陽生欲于右腎候關之者欲分三部候紛紛聚訟使學者何所依據夫醫道與他事不同有此理必有此事按脈用藥瞬息關人生死非可騁臆解恣筆鋒者

孰去孰從明而有驗庶乎不謬至于七表八裏九道之説則不免太泥矣素難仲景論脉秖別陰陽初無定數如素問之鼓搏喘橫仲景之惵平榮章綱損縱橫逆順之類是也後世脉之精微失傳無所依準因立名而爲之歸着耳今之學者按圖索驥猶若望洋況舉其全旨乎此草廬之説獨得要領也

晦菴朱子曰古人察脉非一道豈惟察脉非一道治病亦非一道如和取從折求其屬五法是也向曾與

旻昤先生論及旻翁喜甚謂聞所未聞不知古人恆言之次日作禪家相似詩有曰和取兼從並折屬鉢盂安柄當懸壺夫此五法者王損菴言之甚詳可攷也其言曰王太僕云假如小寒之氣溫以和之大寒之氣熱以取之甚寒之氣下以奪之奪之不已則逆折之折之不盡則求其屬以衰之小熱之氣凉以和之大熱之氣寒以取之甚熱之氣則汗發之發之不已則逆制之制之不盡則求其屬以衰之今人不復

辨此矣惟滯下用下藥猶存通因通用之意而粗工習焉不察甚有不應用此法而亦用者近代薛立齋善用塞因塞用法遂大破舊套以名于時若求屬之法則舉世迷焉常熟嚴相公春秋高而求助于厚味補藥以致胃火久而益熾服清胃散不效加山梔石膏芩連益甚以爲凉之非也疑其當補聞余善用人參因延余診而决之纔及門則戶中穢氣達于四室向之欲噦余謂此正清胃散症也獨其熱甚當用從

治而既失之今且欲從而不可矣用天冬麥冬生地熟地石斛犀角升麻蘭香之類大劑投之數日而臭止經云諸病寒之而熱者取之陰所謂求其屬也火衰于戌故峻補其陰而熱自已後因不屏肉食胃火復作大便不利目翳耳鳴不能自忍襍進凉劑時或利之遂至不起嗟乎苟知其熱則凉之而已矣則塗之人而皆可爲盧扁何事醫乎繇此思之世間凡有一病便有五法以治之但須斟酌須用何法爲當耳

豈惟治病非一道著書亦非一道如長沙著傷寒論葢以六氣傷人惟寒邪最厲六經傳變陰陽疑似少有乖違殺人甚速故立三百九十七法一百一十三方所以補內經之未備而自成一家言也然所論治皆霜降後春分前正傷寒至春變爲溫夏變爲熱俱未之及後人不解其意乃以冬月傷寒之方通治溫熱豈無夭枉故河間氏出窮春溫夏熱之變謂六經傳變自淺至深皆是熱症非有陰寒葢就溫熱立言

卽內經所謂必先歲氣毋伐天和五運六氣之旨補長沙之未備而自成一家言也夫傷寒雖劇症長沙倡論于前河間補遺于後無漏義矣乃內傷與外感相類而治法懸殊東垣起而詳爲之辨如外感則人迎脉大內傷則氣口脉大外感惡寒雖近烈火不除內傷惡寒得就溫煖卽解外感鼻氣不利內傷口不知味外感邪氣有餘故發言壯厲內傷元氣不足故出言懶怯外感頭痛常痛不休內傷頭痛時作時止

外感手背熱內傷手心熱于內傷中又分飲食傷爲有餘勞倦傷爲不足此即內經飲食勞倦之義又補張劉之未備而自成一家言也及丹溪出發明陰虛發熱亦名內傷而治法又别陽常有餘陰常不足眞水衰少壯火上亢此亦闡內經之要旨補東垣之未備而自成一家言也夫內傷雖淺危之症東垣倡論于前丹溪補遺于後無餘藴矣乃立齋出而又以眞陰眞陽立論補前人之未備所以趙氏醫貫云讀長

沙書而不讀河間書則溫熱不明而殺人多矣讀河間書而不讀東垣書則內傷不明而殺人多矣讀東垣書而不讀丹溪書則陰虛不明而殺人多矣讀丹溪書而不讀立齋書則眞陰眞陽不明而殺人多矣

夫長沙河間東垣丹溪所謂四大家也各闢一門毫無沿襲立齋則祖東垣而加詳焉爲陰陽水火之先務使虛無不充則合于素問邪之所湊其氣必虛不能治其虛安問其餘之說也前是有張子和者以汗

下吐三法爲直攻立取之先驅使邪無不除則合于素問邪之所留其病必實陰陽反作治在權衡相奪之説也一則凛然懼内蝕一則毅然慮外侮門庭迥別乃人情喜補惡攻所以談醫者每進薛而退張不知善用之則硝黃足以生人不善用之則參芪足以殺人則子和之書又不可不讀也至若痰之爲病原于水生于濕流溢于經脉膚革關竅百骸之間變狀萬殊素問但舉濕以該諸家又言而未暢世不無起

忽視之心。王隱君韓飛霞王節齋特爲立論著方。雖
不能盡痰之變與痰之治。而使人知痰之爲害不減
于血氣之壅滯沸騰。則其書又不可不讀也。嗣有王
損菴繆仲醇汪石山程松崖盧不遠諸刻。出皆足補
前人之未備。爲越人羽翼。軒岐功臣。進而遡諸靈素
庶于診法治法不失銖兩。丹溪謂醫爲格物致知之
事。儒者一物不知以爲深恥。矧身内之物乎。昔人謂
不通大易者。不可以爲明醫。孫真人謂習醫者須涉

獵羣書若不讀五經不知有仁義之道不讀三史不知有古今之事不讀諸子覩事則不能默而識之不讀內典則不知有慈悲喜捨之德不讀莊老不能任真體運則吉凶拘忌觸途而生若能具而學之則于醫道無所滯礙而盡善盡美矣噫專家者流雖不能如真人之旁及至于醫門各出手眼處亦須精研知著書非一道治病非一道所謂差別智者此也因論察脉非一道故並及之　二則俱鍾閣

此論綜覈今古剖析疑似辨淄澠之別息轂洛之鬪有志於斯者博學浚思以精其業勿以勝氣自矜勿爲時名所愚勿以得少爲足其庶幾乎

范道安良工也予問上工治未病未病何從治之道安曰此五行生剋之意也五行之數順則生逆則病剋則死治未病者預防其相剋也春弦夏鈎秋毛冬石各以時見至而不至者正氣虛不至而至者邪氣實設火病則當保其金金病則當養其木木病則當

培其土土病則當疏其水預防其害不使邪氣深入經絡眼明手敏救人於未然而人不知故曰治病必求其本又曰無伐天和無實實虛虛聖人諄諄重人性命匪一詞矣若但就病治病則有現病未痊而他病已起者可不慎歟

或問脉始于肺終于肝如環不息然診時以何者爲肺之始又以何者爲肝之終有能指指了了不爽乎愚恐覓起處不可得而但候之五十至無敗脉則亦

已矣。但儱侗又易于藏拙。一日叩道安曰脉從何起。道安曰微矣哉問也。經絡俞合之始終昔人詳矣。非氣非血周而不息者其神乎秦越人有言曰十二經脉皆係于生氣之原隱隱屬之腎間動氣然而未盡也。呼吸者脉之端。似隨呼吸起。然脉不能自至于手太陰必藉胃氣以至胃氣恊于呼吸然後能通行於十二經中由此觀之會合先後天精氣神而乃可以言脉也東垣脉貴有神難經四時以胃氣爲本豈不以脉理遥渺非執浮沉遲速者之能測乎故註二十六脉未已也又註奇經八脉使學者將人身之藏府經絡一一變現於胸中庶不致因形而昧神也最奇者衝督用事則十二經不復朝於寸口不朝寸口其人危矣乃其脉甚盛甚實若無病者然微乎微乎詎可迹象求乎仙經曰任督之脉通則百脉皆通而其人壽

華陀內照圖曰辨死生之法但人畋常即死矣克期

定目者。皆于五臟决之。見人臺眉端廻視遅口如魚口者心絕也心絕一日死口張氣出而短鼻色黑者肺絕也肺絕三日死齒黑目中黄腰中欲折白汗流水者腎絕也腎絕四日死面青但伏視而不見泣出如水不止者肝絕也肝絕八日死臍滿泄利不覺足腫者脾絕也脾絕十二日死皆可預决者也外更有五體敗五證五色五聲五竭五傷五復脉五不稱五視等壞相一現死不旋踵祝茹穹曰死脈决期以寸口爲確據通氣口能盡十二經之脈證一動而散一日之期二動而散二日之期五動而散其期皆應六七以上則可寬二日至于十動而散其期一年葢以月代日也雖云五十不止身無病其止必自然和緩乃無恙若見散代者亦决之五年散者非止也難經曰散脈獨見則危葢爲氣血虛根本離之脈况見於數動之應少乎散必與代見代者中止不能還因而復動其動必渙散不收也

五運六氣標本説

五運者金木水火土合十干甲巳合土乙庚合金丙辛合水丁壬合木戊癸合火是也六氣者風寒暑濕燥火對十二支子與午對君火丑與未對濕土寅與申對相火卯與酉對燥金辰與戌對寒水巳與亥對風木是也運與氣叅而迭主客大要不越五行而皆以土爲體用每歲司天在泉不論所屬總不宜太過不及而以中和爲貴

司天在泉上見下臨爲其始也子午之年少陰君火司天陽明燥金在泉丑未太陰濕土在天太陽寒水在泉寅申少陽相火司天厥陰風木在泉卯酉與子午倒巳亥與寅申倒辰戌與丑未倒陰陽互換六氣在其中矣勝負之理補瀉之法可以類推

五運有歲會有太乙天符有天符有同天符有同歲會之說歲會者如甲巳化土而遇辰戌丑未之歲乙庚化金而遇申酉歲之類太乙天符如乙酉歲乙庚

化金而遇酉。又上見燥金司天也。天符者。如丙戌歲。丙辛化水。上見寒水司天是也。同天符者。如庚子庚午歲。下臨燥金在泉。同歲會者。如辛丑辛未歲。下臨寒水在泉是也。歲運天符歲會。則爲平氣。陽干陽辰。則爲太過。陰干陰辰。則爲不及也。

天以六氣動而不息。上應乎客。地以五行靜而守位。下應乎主。六氣之行。各居六十日有奇。以其時而化其氣。過猶不及。病乃生焉。故察其盛衰。以味折之。以

正其氣經云必折其鬱氣而取化源益其歲無使邪勝使暴過不生奇病不起是理歲之大要也

太陽寒水治宜熱陽明燥金治宜苦溫少陽相火治宜鹹寒太陰濕土治宜苦熱少陰君火治宜酸寒厥陰風木治宜辛涼所謂以味折之也客初之氣厥陰終之氣太陽主初之氣自大寒至春分前二之氣自春分後至小滿前順數至大寒前所謂各居六十日也

天有陰陽四時化爲六炁、人有陰陽列爲五臟、亦各主一炁以相應、如厥陰風木炁、通于肝、能調風炁、肝炁乃和、少陰君火炁、通于心、能調火炁、心炁乃和、少陽相火、炁通于膽、能調暑炁、膽炁乃和、太陰濕土炁、通于脾、能調濕炁、脾炁乃和、陽明燥金炁、通于肺、能調燥氣、肺炁乃和、太陰寒水炁、通于腎、能調寒炁、腎炁乃和、逆之則傷、故以調炁爲先、而肺主之、其竅爲鼻、鼻者食炁、其神名魄、魄者守炁、岐伯曰奇恒之府運氣五六周甲實二燥濕而一也臟腑經絡槩應十二恆也互根亢承之變奇也脾爲後天本腎爲先天本而腎具眞水火也交濟則火即元氣矣三部十二動脈分診也寸口巧診也八奇寄診也李士林闞王叔和而遵內經潛老夫曰兩端代錯而悟在其中矣內經上下應難經六表裏蓋關不動而腎命大小腸有互幾焉脉交手之圓圖可徵一氣而周三隧行二道者也嗌有兩管二陰出道四診望聞問切而八切浮沉遲速滑濇虛實而一十四脉可推也內外寒熱虛實辨尤

要矣。人迎喉旁胃脉。氣口兩手肺脉也。亦可分微。兩手人迎氣口。論內外則止是外感於風。故肝木見症而人迎盛。內傷於食。故脾胃見症。而氣口盛。寸關尺共九分。關前一分。仍是肝脾之首耳。且論感則不拘六表裏矣。如傷寒論胸腹小腹。即內經上候上下候下之診也。如論胃脉則六脉之和平皆胃也。豈執定右關論胃哉。對治易曉。從治難明。況隔二三乎。天時有變。地有異候。人稟殊而養又殊。寧可執哉。要當深究三才之故。類應通幾。互格物則。而歷症以徵常變。乃中節也。運氣。經絡。脉理。病症。藥性。醫方。各有常變。明其理。歷症多。自能會通易簡。若一言蔽之。不過調水火順元氣耳。浮山小識五運六氣之術。大則候天地之變。寒暑風雨水旱螟蝗。小則人之衆疾。亦隨氣運盛衰。今人膠于定法。故皆不驗。假令厥陰用事。其氣多風。民病濕泄。豈溥天之下。皆多風。溥天之民。皆病濕泄耶。至于一邑之間。而雨暘有不同者。此氣運安在。欲無不謬。不可得也。大凡物理有常有變。氣運所主者。常也。異夫所主者。皆變也。常則如本氣。變則無所不至。而各有所占。故其候有從逆淫鬱勝復太過不及之變。其發皆不同。

若厥陰用事，風而草木榮茂，曰從。天氣明潔，燥而無風，曰逆。太虛埃昏，流水不冰，曰淫。大風折木，雲物濁擾，曰鬱。山澤焦枯，草木零落，曰勝。大暑燔燎，螟蝗爲灾，曰復。山崩地震，埃昏時作，曰太過。陰森無時，重雲晝昏，曰不足。隨其所變，疾癘應之，皆是當時當處之候。雖數里之間，而氣候不同，而所應全異，豈可膠于一証？熙寧中，京師久旱，祈禱備至，建日重陰，人謂必雨。一日驟晴，炎日赫然。予因事入對，上問雨期，予對日雨候已見期在明日衆謂頻日呣[illegible]尚且不雨如此暘燥豈復有望次日果大雨是時濕土用事連日陰者從氣已効但為厥陰所勝未能成雨後日驟晴者燥金入候厥陰當折則太陰得伸明日運氣皆順是以知其必雨此亦當處所占也若他處候別所占亦異其造微之妙間不容髮

歲運有主氣有客氣常者為主外至者為客初之氣厥陰以至終之氣太陽者四時之常敘也故謂之正

氣唯客氣本書不載其目說者或以甲子之氣天數始于水下一刻乙丑之歲始于二十六刻丙寅歲始于五十一刻丁卯歲始于七十六刻者謂之客氣此乃四分曆法求一寒之氣何預歲運又有謂相火之下水氣承之土位之下風氣承之謂之客氣不知此亦主氣也與六節相須不得爲客大率皆臆說也凡所謂客者歲半以前天政主之歲半以後地政主之四時常氣爲之主天地之政爲之客逆主之氣爲害

暴逆客之氣爲害徐調其主客無使傷沴此治氣之法也

六氣方家以配六神青龍者東方厥陰之氣其性仁其神化其色青其形長其蟲鱗兼是數者唯龍而青者可以體之其他取象皆如是唯北方有二曰玄武太陽水之氣也螣蛇少陽相火之氣也在人爲腎腎亦二左爲太陽水右爲少陽相火火降而息水水騰而爲雨露以滋五臟上下相交此坎離之交以爲否

泰者也故腎爲壽命之臟左陽右陰左右相交此乾坤之交以生六子者也故腎爲胎育之臟中央太陰土曰勾陳中央之取象唯人爲宏勾陳者天子之環衛也居人之中莫如君何以不取象于君君之道無所不在不可以方言也環衛居人之中央而中虛者也虛者妙萬物之地也在天文星辰皆居四旁而中虛八卦分布八方而中虛不虛不足以妙萬物其在于人勾陳如環環之中所謂黃庭也黃者中之色庭

者官之虛地也古人以黃庭爲脾非也黃庭有名而無所冲氣之所在也脾主思慮此非思慮之所能到也故養生家曰能守黃庭則能長生黃庭者以無所守而守唯無所守乃可以長生或謂黃庭在二腎之間又曰在心之下又曰黃庭有神人守之皆不然黃庭者虛而妙者也强爲之名意可到則不得謂之虛矣　三則皆沈存中

浮山曰運氣臟腑同一爻幾五六爲中數參兩并爲

五參兩乘爲六奇顯於偶故五運旋六氣而歷干支則十二約爲六故六十而周葢有天之運氣焉有地之運氣焉有人之運氣焉各有常變參而决之仲淳直以爲謬則未詳其通理矣五運篇云風寒在下燥熱在上濕氣在中火遊行其間寒暑六入故令虛而化生也可見火濕兩者足統一切而五行尊火動靜歸風大氣舉之水土持載身心亦如是也腎水而真火出焉心火而真液生焉人身以陽氣爲主故曰真

陽統陰陽貞夫一者用相代錯約爲五六參兩之幾可以悟矣

運氣各有標本腑臟各有匾別偏治則爲害非細喉系堅空連接肺本呼吸出入下通心肝之竅以激諸脉之行氣之巨海也咽系柔空下接胃本水食同下并歸胃中乃水穀之海也二道各不相犯然飲食必歷氣卩而下氣卩一日會厭當飲食方嚥會厭卽垂厥卩乃閉若當食言語則會厭開水穀入喉脘而戕

咳矣喉之下肺爲華蓋以覆諸臟虚如蜂窠吸之則滿呼之則虚人身槖籥也肺之下爲心系絡屬肺肺受清氣下乃灌注外有包絡褁赤黄脂心竅多寡各異上通于舌旁有系連于脊而注氣焉心下有膈膜遮蔽濁氣使不薰心所謂膻中也膈膜之下有肝其系上絡心肺爲血之海上通于目肝短葉下有膽膽汁藏而不瀉此喉之一竅施氣運行薰蒸流通之脉絡如此咽至胃長尺六寸咽下至膈膜膈膜之下有

胃受飲食而腐熟之其左有脾與胃同膜而附其上形若刀鐮聞聲則動動則磨胃食乃消化胃之下左有小腸後附脊膂左環迴疊積其注於迴腸者外附臍上共盤十六曲右有大腸即迴腸當臍左環迴疊積而下亦盤十六曲廣腸附脊以受迴腸左環疊積以出滓穢廣腸左側爲膀胱乃津液之府五味入胃其津液上升化爲血脉以成骨髓餘者流入下部得氣海之氣施化小腸滲出膀胱滲入而溲便注洩矣

凡胃中腐熟水穀其精氣自胃之上口曰賁門傳於肺肺播于諸脉其滓穢自胃之下口曰幽門傳於小腸小腸下口曰闌門泌别其汁清者滲出小腸而滲入膀胱穢濁則轉入大腸膀胱赤白瑩淨外無入竅全假氣化施行氣不能行則閒隔不通而爲病矣三焦主持諸氣以象三才故呼吸升降水穀往來皆待此通達上焦由於胃上口並咽而下以貫膈而布胸中走腋循太陰之分而行傳胃中穀味之精氣於肺

以播于諸脉中焦在胃中脘主腐熟水穀烝津液上注於肺乃化爲血以養遍身莫貴于此命曰營氣下焦起胃下脘別廻腸注膀胱主出而不納此脾胃大小腸三焦乃咽之一竅資生血氣轉化糟粕而入出如此　腎有二精所舍也生於脊膂十四椎下兩旁各一寸五分形似豇豆相並而曲附於脊外有黄脂包裹裏白外黑各有帶二條上條系於心下條過屏翳穴後趍脊骨下有大骨在脊骨之端如半手許中

有兩穴是腎帶經過處上行夾脊至腦中是爲髓海
五臟之眞惟腎爲根上下有竅穀味之液化而爲精
人乃久生腎虛精絕其生乃滅凡人腎虛水不足也
補以燥藥以火煉水其精乃爍攝生者觀于腎之神
理則夭壽之消息亦思過半矣
鍾闇曰此大司馬浚川公形景篇原文也乃趙氏
醫貫截去水不足也一段而專于補火水火二說
天地懸隔以火易水致使醫者競言補火施之陰

臟陰症陽虛之人自是有効若施之陽臟陽症陰虛之人受害豈淺乃學士大夫亦從而信之每樂言溫補夫誤用寒凉而殺人者多矣乃誤用溫補而殺人者亦不少大抵陰陽偏則病陰陽和則愈余嘗述内經曰陽者陰之使也陰者陽之守也若立論稍偏死生立判善攝生者當不以余言爲河漢也浚川公又曰暑氣多夭寒氣多壽中土多聖岐伯曰陰精所奉其人壽陽精所降其人夭又曰

崇高則陰氣治之。汙下則陽氣治之。高者其氣壽。下者其氣夭。可互觀也已。藍海重公手錄醫方自序云、居京數載、誤聽醫家服附子鹿茸肉桂之類、致傷吾齒、而上焦之火且不時舉發、噫此可爲補火者鑑也、或問曰然則治火之說古亦有暢言之而足爲世法者歟、曰有之、其說在人鏡經之首篇、可考也、

運氣標本歌

厥陰少陰太陰少陽陽明太陽爲標風木君火相火濕土燥金寒水爲本六氣之中所見者爲中氣每氣皆有標本中而所從各有所宜乃六氣之爲病也此歌發明內經之奥旨理趣最優

少陽從本爲相火

少陽標也相火本也相火代君行令者此氣何以從本以其標陽本火標本皆火所以從本言病皆相火爲之也

太陰從本濕土坐

太陰標也。濕土本也。此氣標陰本濕。亦爲標本同。所以從本。濕土坐者。言病皆濕土爲之也。

厥陰從中火是家

厥陰標也。風木本也。標本不同。故不從標本而從中。以其中見少陽也。少陽相火。故云火是家。言病亦相火爲之也。

陽明從中濕是我

陽明標也燥金本也標本不同故不從標本而從中以其中見太陰也太陰濕土故云濕是我言病生於濕土也

太陽少陰標本從陰陽二氣相包裹

太陽寒水標陽而本寒少陰君火標陰而本熱標本各異故從本而又從標言病在標者治其標病在本者治其本各隨其見症也包裹云者申上意也手少陰心火而足少陰腎水手太陽小腸火而

足太陽膀胱本陰陽之交錯水火之互根不與前四氣一例也

風從火斷汗之宜

風乃火之標火乃風之本二氣皆陽主于表在表者當汗所以爲宜

燥與濕兼下之可

陽明燥濕相兼燥爲秘結濕爲腫滿燥則通其大腑濕則利其小水皆爲之下凡在裏者當從下也

萬病能將火濕分。挈開軒岐無縫鎖。

肝胆三焦包絡心小腸皆火。脾胃肺大腸腎膀胱皆濕。細分在後邊。

尋十二經水火分治。

胆與三焦從火治。肝和包絡都無異。脾肺常將濕處求。胃與大腸同濕類。

腎與膀胱心小腸。寒熱臨時旋商議。

此四經以寒熱分表裏。所以無定議。

裏寒表熱小膀温

謂裏和表實也實邪氣也小腸膀胱屬腑主表温熱也

裏熱表寒心腎熾

謂表和裏實也心腎屬臟主裏熾者熱之甚也

十二經最端的四經屬火四經濕四經有熱有寒時

攻裏解表細消息裏熱表寒宜越竭

即裏實表和邪入肺也法當下之越走也竭盡也

表熱裏寒宜汗釋

即表實裏和邪在經也法當汗之釋謂解也

濕同寒火同熱

濕與寒類火與熱同類

寒熱到頭無兩說六分分來一分寒寒熱中停真浪

舌熱寒格拒病機淺

格至也拒抵也病機淺言寒熱至極也

亢則害承乃制別

亢者過極也害者害其物也承者下承上也制謂

尅勝之也•詳見下文

緊寒數熱脉正邪。

此以脉症辨之•

標本求之眞妙訣。休治風。休治燥。治得火時風燥了。當解表時莫攻裏。當攻裏時莫解表。表裏如或兩可攻。後先內外分多少。治濕無過似决川。此箇筌蹄最分曉。濕熱上甚以汗爲。苦溫辛甘發宜早。欲發軒岐千古秘。爭奈醯雞笑天小。

五行之內，水木金土四行分之則愈少，惟火分之則愈多。天地之數五，而火熱居三，可見天地之間熱多于寒，火倍于水，而人之病化從可知也。

此歌舊謂張子和所作，不知本人鏡經首章子和特述之耳。道士授徐熙扁鵲鏡經即此也，人鏡經序中言之甚詳，醫書轉相傳錄，失其本旨者多矣。至于以火易水，治法大乖，損人性命，不得不考原本以正之，俾後人不爲所誤。鍾闓愚按補陽之說本於扁鵲心經其言曰道家以消盡純陰爲工候故云陽精若壯千年壽陰氣如消終未死醫家以保陽氣爲本人有一息陽氣在尚活必陽氣脱盡方死土成磚木成炭千年不朽皆火之力也人多遵之而誤鍾闇救其誤耳大約陰陽貴得中畸于陰畸于陽皆非也補陽必緣陽衰補陰必緣陰虛凡言補者皆救偏之說耳因偏議救又可因救墮偏乎况陰陽互藏其宅眞陽未有

無陰者眞陰未有無陽者無陽之陰是曰死陰無陰之陽是曰亢陽雖補何及矣醫印云和中與補中有別是則補中尚須酌也況補陰補陽乎

鍾閣曰覺昕論奇經八脈詳矣而天和脈亦不可不論及也九靈山房集載左丞王公畏瘴毒晨必命醫診省醫鄭生切其脈愕曰平日兩尺無虞今忽不應指可怪也公卽驚曰人無尺脈猶樹之無根其能久生乎命他醫診之其論亦同乃命項昕診昕曰此天

和脉也勿妄治因陳氣運交反之道以曉之公此衆醫曰若等誤人多矣乃奪其提舉俸者二人汪石山曰脉不應專指三陰言然少陰君主也故主兩寸兩尺所以少陰司天兩寸不應少陰在泉兩尺不應子之左丑太陰故太陰司天左寸不應太陰司地左尺不應子之右亥屬厥陰故厥陰司天右寸不應厥陰在泉右尺不應但看三陰所在司天主寸在泉主尺不論南政北政此要法也一人臥病醫診左尺不應

以爲腎已絶矣死在旦夕更醫診之察色切脉則面戴陽氣口皆長而弦乃傷寒三陽合病也又方涉海爲風濤所驚遂血菀而神懾爲熱所搏乃吐血一升許且脅痛煩渴譫語投小柴胡湯減參加生地半劑後俟其胃實以承氣湯下之而愈葢是年歲運左尺當不應此天和脉非腎絶也

東坡曰醫之難明古今所病也至虛有盛候而大實有羸狀疑似之間便有死生之異士大夫多秘所患

以求痊驗醫能否使索病于冥漠之中辨虛實冷煖于疑似之際醫不幸而失終不肯自謂失也巧飾遂非以全其名間有謹愿者雖或主人言之亦參以所見兩存而雜治吾平生求醫巳於平日黙驗其工拙有疾求療必盡告以所患使醫了然知患之所在然後診之虛實冷煖先定於中脉之疑似不能惑也故雖中醫治吾疾甞愈吾求疾愈而巳豈以困醫爲事哉

考証

內景經諸解間有未確，偶折衷以俟知者。

散化五形變萬神

人盡爲形役耳。散之化之，而變萬神，此玉經秘旨。

大洞經更載其詳：五藏九宮十二室，四支五體，三焦九竅，百八十機關，三百六十骨節，三萬六千神，隨其所而居之，即所謂千千百百自相連，一一十十似重山也。

閭闔營衞高玄受

閭闔車行聲詩曰閭闔車之牽兮人一呼脉行三寸一吸脉行三寸呼吸定息脉行六寸一日一夜凡一萬三千五百息脉行五十度周身漏下百刻營衞行陽二十五度行陰二十五度一萬三千五百息脉行八百一十丈如車行之過都越國而不息也所以有轆轤之喻高玄心也主適寒熱營衞和故曰受

左神公子發神語

文靖天師與司馬承禎寢窺其額上有日如錢大光耀人席遍而聽之腦中有小兒誦經音玲玲如金石晁文元自記嘗聞靈響凝然聽之心息俱住神氣融暢杳不可說目有一點圓光如小錢許或青或黃或白正此類也

虛無寂寂空中素

素則無色矣虛寂空中形神俱妙此無色界景況

兼行形中八景神

奇經八脉爲周身之節度。雖知其竅會而不能行。

則亦與日用不知者等耳。

三五合炁九九節

道光曰。木數三居東。火數二居南。木能生火。二物

同宮。故二與三合而成一五也。金數四居西。水數

一居北。金能生水。二物同宮。故四與一合而成五

也。天五巳土。地十戊土。戊土居坎。巳土居離。戊巳

分則二土之數十戊巳合則二土成十而數五土家于中央故五與五合而成一五也五行相推返歸一一者太極也五行不合則各一其性合則復爲一太極人能以五行合而爲一則復還混沌所謂三家相見之妙葢如此九九純陽也契曰三五德就乾體乃成

鬱儀結璘善相保

註引上清紫文又載服日精月華之法五色流霞

俱從口入其說從來久矣唐陸魯望詠橘詩剖似日魂初坼後弄如星髓未彫前宋王半山梅詩好借月魂來映燭恐隨春夢去飛揚正用其語而變儀結璘文人好奇者屢用之予謂但照前章出日入月呼吸存之解爲正

至忌死炁諸穢賤

修煉之士不近尸穢褻瀆之處此外忌也李鎔凡曰子後爲生氣午後爲死氣此時忌也方之外曰

鉛遇癸生至眞極貴少爲火熾金微卽爲死氣其說精矣然覽大洞秘籙三十九章每攝元神守兆死炁之門其所謂死炁之門者卽五藏六府百骸九竅也神在則生神散則死然則死炁豈由外鑠哉抑又不然應眞入道偃于屍陁林及塚墓間居止或觀膖脹或敲髑髏彼其所忌必有在矣淺深之辨存乎其人

淡然無味天人糧

上文五味外美邪魔腥臭亂神明胎炁零口腹之害爲心害也兩神相會化玉漿足乎已無待于外也人生爲口腹所累故不勝勞擾至于臭亂神明零落胎元且以養人者害人矣然尚指穀食言也况腥血之穢哉

陽陵子明經言春食朝露日欲出時向東氣也秋食飛泉日欲没時向西氣也冬食沆瀣北方夜半氣也夏食正陽南方日中氣也并天玄地黄之氣爲六氣

皆令人延年不饑。昔有人墮蛇穴中。饑甚。見蛇如此服氣。依而行之。經久。體輕。啓蟄之後。人與蛇並躍出。

陳子昂言。其高祖方慶。得墨子五行秘書白虎七變法。隱于梓州武東山。

徽宗問太府卿李博曰。知卿年彌高而色不衰。中外稱卿有內丹之術。對曰。臣聞內觀所以存其心。外觀所以養其氣。存其心。養其氣。則眞火爐鼎自炎。神水華池日盛矣。長生久視。上下與天地同流。天道運而不積聖人知而行之易簡而天下之理得也人之所恃以生者氣也氣住則神住神住則形住形住則長生久視自此始矣蓋日月運轉寒暑往來天地所以長久吹噓呼吸吐故納新眞人所以住世故丹元子曰形以神住神以氣集氣體之充也形神之舍也氣實則成氣虛則敝氣住則生氣耗則滅此廣成子所以保氣而烟蘿子所以鍊氣也然則一言而盡保煉之妙者其惟嚥納乎故曰一嚥二嚥雲蒸雨至三嚥

四嚥內景充實七嚥九嚥心火下降腎水上升水火既濟則內丹成可以已疾可以保生可以延年可以超昇另有進火候進水候二篇載墨莊漫錄暇日于錄中檢之其說甚詳謹撮其要曰進火候子後午前若五更初尤佳坐榻上面東或南握固盤足合目主腰澄心靜慮內視五藏仰面合口鼻引清氣氣極則生要而嚥之每嚥必縮穀道再引至再至三若氣極不能住則低頭微開口以吹勿令耳聞如此者三

是爲進火一周天俟氣調勻然後行水曰進水候口中嗽液多多益辦俟甘而熱即閉口仰面亞腰左顧一嚥正中一嚥右顧一嚥分三嚥而下内想一直下丹田每嚥亦縮穀道如此一遍是爲行水一周天每進火水行畢然後下榻行履自如蓋五行水火爲初人生水火爲急此極易之要法初行須覺臍下如火飲食添進四肢輕快是其驗也久之髮白再黑齒落更生精神全具復歸嬰兒漸爲眞人矣上嘉納之

前論陰陽互根壯水之主益火之原可謂得其理矣李博所言平實相合不涉方士厖雜之習墨子五行想不外此

予書齋多種竹久之笋茁屋中其自始生以至成竹也每晨皆見其滋液從根達梢溉引必遍雖逾尋丈而笋胞之末層層有清露一滴如珠則其内之灌輸者可知也故不數日嘗高于舊竹蓋以全力勝耳植物且自能培養如此不但不宜輕折以逆乾坤生意

又豈可智不如草木乎

釆芝堂軼藁曰世稱扁鵲華陀神術謂望而知其病洞見五藏癥結也所以然者不過熟於經絡識病根源而已無他奇也若審於內視保生者知所守治病者亦知所攻矣古之達士俗眼驚其奇秖是眼明手快耳錄一二以証

郭玉少師事程高學方診六徵之技陰陽不測之秘和帝奇之令嬖臣美手腕者與女子混處帷中使玉

各診一手問所疾苦玉曰左陰右陽脉有男女狀若異人臣疑其故帝嘆息稱善玉仁愛不矜雖貧賤厮養必盡心力而醫療貴人時或不愈帝乃令貴人羸服變處一針即瘥帝問狀對曰醫之爲言意也腠理至微隨氣用巧針石之投芒毫即乖神存于心手之際可得解而不可得言也貴者處尊高以臨臣臣懷怖懾以受之其爲療也有四難焉自用意而不任臣一難也將身不謹二難也骨節不強不能使藥三難

也好逸惡勞四難也針有分寸時有破漏重以恐慎之心加以裁慎之志臣意且不盡何有于病哉唐許胤宗精醫人勸其著書貽後世答曰醫特意耳思慮精則得之脉之候幽而難明吾意所解口莫能宣也古之上醫專在視脉病乃可識若能診之病與藥值唯用一物攻焉氣純而愈速今之人不善爲脉以情度病多其物以幸有功譬之獵不知兎廣原絡野兾一犬獲之術亦踈矣一藥偶得他味相制弗能專力

此難愈之驗也旨哉二子其知道乎後世貴人名醫十九蹈郭玉之言庸醫視病不可不思偏宗之旨也

丹陽徐文伯有異術相傳其祖熙隱秦望山有道士授以扁鵲鏡經云明帝宫人患腰痛牽心每至氣絶衆醫以爲肉癥文伯曰此髮瘕也以油投之即吐得物如髮稍引之長三尺頭已成蛇能動挂門上適盡一髮而已病即愈弟嗣伯亦精其業直閣將軍房伯玉患冷夏日常複衣嗣伯診之曰卿伏熱須以水發

之非冬月不可至十一月冰雪大盛令二人夾捉伯玉解衣坐石上取冷水從頭澆之盡二十斛伯玉口噤氣絕家人啼哭請止嗣伯遣人執杖防閤敢有諫者撾之又盡水百斛伯玉始能動而見背上彭彭有氣俄而起坐曰熱不可忍乞冷飲嗣伯以水與之一飲一升病立愈自爾恒發熱冬月猶單衣體更肥有婦人滯冷積年不愈嗣伯診之曰此尸注也取死人枕煑服之即瘥」秣陵張景年十五腹脹面黃醫不能

療嗣伯曰此石蚘也極難治須死人枕服之從其言下蚘蟲頭堅如石者五升愈沈僧翼患眼痛又見鬼物嗣伯曰邪氣入肝可覓死人枕煮服之仍埋枕故處如其言又愈王晏問之曰三病不同皆用死人枕而俱愈何也曰尸注者鬼氣伏而未起故令人沉滯得死人枕投之魂氣飛越不得復附體故愈石蚘者久蚘也藥不能遣須鬼物驅之然後可散耳邪氣入肝故眼痛而見鬼須邪物以鈎之故用死人枕氣因

枕去故令埋于塚間也嘗春月出南籬間聞屋中呻吟聲曰此病甚重更二日不療必死乃往視見一老姥稱體痛而處處有黑點嗣伯還煮斗餘湯送令服之服訖痛愈甚跳投床者數次須臾黯處皆突出釘長寸許以膏塗諸瘡口三日而復云此釘疽也神異多類此

漢武威太守劉子南從道士尹公受務成子螢火丸辟疾疫百鬼虎狼虺蛇蜂蠆之毒及五兵白刃賊盜

凶害用雄黄雌黄各二兩螢火鬼箭蒺藜各一兩鐵鎚柄燒令焦黑鍛竈中灰羖羊角各一分半研如粉以鷄子黄幷丹雄雞冠血丸如杏仁大以三角絳囊盛五丸常帶左臂上從軍者繫腰中居家懸戶上辟盜賊諸毒子南合而佩之永平十二年於武威界遇賊大戰敗績餘衆奔潰獨爲賊所圍矢下如雨未至子南馬數尺矢輒墮地終不能中傷賊以爲神人乃解圍去子南以敎其子弟爲軍者皆未嘗被傷漢末

青牛道士封君達得之以傳安定皇甫隆隆授曹孟德乃傳于人間一名冠軍丸一名武威丸今載千金翼中

天寶中渤海高生病熱膽痛不可忍名醫視之醫曰有鬼在膽中煑藥而飲之忽覺膽中動搖嘔涎斗餘其中凝塊以刀剖之有一人自涎中起俄長數尺高生欲執之其人出降堦遽不見自是疾愈

張擴字子充少好醫後聞蜀有王朴善脉又能以太

素知禍福從之期年得衣領中所藏素書盡其訣當塗郭氏子患嗽肌骨如削醫多以爲瘵擴曰是不足憂飲以藥大吐使視涎沫中當有物也視之得魚骨宿疾皆愈范純仁方名而疾作問曰吾此去幾何擴曰公脉氣不出半年范與偕行至京奏補擴承務郎未幾范不起崇寧中黄誥待淮西提刑擴曰大夫食祿不在淮西行且還朝矣然非今日宰相也宰相猶未起起則有名不滿歲當三遷及蔡京當國誥名還

自戶部吏部遷左司郎中尚書蹇序辰知應天府擿謂曰尚書無官脉俄罷歸田復見之曰當得州果得杭州祁門宰陳孺使徧觀庠生獨指汪丞相曰位極人臣然南人北脉宦迹由北方起未幾登第調大名主簿不出北京積官中奉大夫中興拜相

吳廷紹爲南唐太醫令烈祖食飴噎國醫莫治紹尚未知名獨謂當進楮實湯一服而愈馮延巳苦腦中痛紹密詰厨人知延巳嗜山雞鷓鴣投以甘豆湯亦

愈羣醫默記之他日取用皆不驗或叩之曰噫因甘起故楮實湯治之山雞鷓鴣皆食烏頭半夏故甘豆湯解其毒耳聞者大服

宋王繼先以醫馳名被罪押福州任叔祖宮教家時赴富沙倅求察脉繼先忽愀然曰脉病人不病應在十日內宜亟返轅尚可及也因泣別時宮教康強無疾疑其妄然素神之即日歸至家數日而卒

紹熙間有醫邢氏精藝絕倫韓平原將出使伴診脉

曰脉和平無可言所憂者夫人耳回日恐未必相見也平原怪其不倫出疆數月妻果歿朱丞相勝非子婦偶疾命視之曰疾不藥亦愈然自此不宜孕孕必死其家以爲誕後一歲妊舉家方有抱孫之喜未彌月婦疾作急名之堅不肯來曰去歲已言之无可療之理越宿果殂弁陽老人曰名醫多矣未有察夫脉知妻死未孕知產凶者噫神矣哉

嘉祐中舒州觀察使李某能爲水丹時王介甫爲通

判問其法云以清水入土鼎中以火然之少日則水漸凝結如金玉精瑩駭目問其方則曰不用一切但調節水火之力毫法不均卽復化去此坎離之粹也日月各有進退節度推此可以求養生治病之理如仲春之月草木奮發鳥獸孳乳此定氣所化也若於春秋分夜半時汲井水滿大甕中封閉七日發視則有水花生於甕面如輕氷可采以爲藥非二分時則無此中和之在物者以春秋分時吐翕嚥津存想內

視則有丹砂白腹中下璀然耀日術家以爲丹藥此中和之在人者凡變化之道莫不由此窮玄入化天人不異人自不思耳

龍游藥保善治折傷雖骨斷整之三日復續有草名鐵布衫服之雖受杖數百亦不致絕不受杖則脹死須自撻之有麻藥與人服雖割其五臟亦不知痛有患痢者服熱藥結肉癰名之視剖其腹出膿數醆藥封其腹遂愈

宋張少卿子顔晩年嘗見目前光閃閃中有白衣人如佛者信之彌謹不食肉飲酒因瘠而多病時泰陵不豫汪壽卿自蜀入京診御脉子顔求診壽卿一見大驚授以大丸數十小丸千餘粒諭以十日中服盡既數日漸覺白衣人變爲黄而光不見矣又明日俱無所見其體異前乃詣壽卿謝壽卿曰公脾初受病爲肺所尅心脾之母心氣不固則多疑自有所見吾之大丸實脾小丸實心肺爲脾之子既不能勝其母

則病自愈子顏大神之且問御脉如何曰再得春氣當絕雖司命者莫如之何時元符元年八月也三年正月果崩壽卿後入華山 道山清話

宋徽宗食冰太過病脾楊介進大理中丸上曰服之屢矣介曰疾因食冰臣以冰煎此藥是治受病之原也服之果愈此醫家五法之從治

李子豫善醫當代稱其通靈豫州刺史許永鎮歷陽其弟得病心腹疼痛十餘年醫藥不效將死忽一夜

聞屏風後有鬼謂腹中鬼曰何不速殺之子豫當過此矣腹中鬼對曰吾不畏之及旦永使人候子豫果來未入門病者自聞腹中有呻吟聲及子豫入視曰十餘年之藥皆枉施耳此鬼病也遂于巾箱中出八毒赤丸與服之須臾腹中雷鳴膨轉大利數次而瘥今八毒丸方乃所傳也。搜神後記

吳郡劉原博先生外祖范益精于醫仕元至正間爲醫官年七十矣有老嫗詣其門曰有二女病請往治

問所居曰西山益憚遠以老辭曰必不得已可來就診嫗去良久携女至皆少艾益診之愕然曰何以俱非人脉因謂嫗當以實告嫗惶恐跪訴曰妾實非人西山老狐也幸憐而救之益曰濟物吾心也但此禁城帝王所在萬神呵護爾醜類何得至此嫗曰眞天子自在濠州城隍社令皆移守于彼此間空虛吾輩不妨出入耳益異其言授以藥嫗及二女拜謝而去

鍾閽曰以濟物爲心此益之仁也然非明于診視

使西山老狐無遁情胡能精其業以濟其仁乎昔王處一號至陽曰鏡明猶能鑑物況天地之鑑無幽不燭何物可逃所謂天地之鑑卽吾身靈明之妙也章宗嘆曰清明在躬志氣如神先生之謂也噫此醫之本源也學者當豫澄之矣

洪峒韓神醫元末避兵岳陽山遇一老僧傳示方藥遂以醫名山西遥見人顏色卽知其死生時刻不爽其孫肅生三歲誤呑一釘家人皆驚哭須刻待盡神

醫視之曰。此子决不死。然必待三年針乃得出人莫之信。遂定時日書壁間以俟肅果不死。但每腹痛。必絶而後甦。久漸黄羸骨立。及期。旦起戒家人曰。兒疾當瘳。勢必大作。雖絶勿懼。宜先具一銅盆煑少粥飲待之。已時腹果大痛。一呌而絶。良久吐銅盆中。針出鋭盡刓。又復絶。至午時始甦。歳餘獲安。即忠定公之父也。

洪武間名醫葛可久有奇驗。一人患腹痛不可治。葛覗之謂其家曰肉龜爲患非藥所能攻吾鍼之勿令患者知知則龜藏矣家人因詒病者飲醇酒酣臥家人亟呼葛至診其脈以鍼刺腹患者驚寤畀以藥須臾有物下如龜其首有穴葢鍼所中也遂愈隣婦將産氣上逆危急就葛治葛見之遽以掌擊案厲聲大叱婦驚産一子葛慰曰見爾色青氣逆是腹中兒上攻少緩不可救矣猝然被驚故卽産也

朱彥修治一女子瘵且愈但頰上兩丹點不滅彥修

技窮曰須吳中葛公使主人賫書迎之葛方與衆博大叫使者奉牘跪上之葛省書不謝客亦不返舍遂行比至視女子曰法當刺兩乳主人難之請覆以衣援針刺之應手而滅主人贈貽悉不受曰吾爲朱先生來豈責爾報耶江淛左丞患癰彥修曰按法不治葛曰尚可刺彥修曰雖可刺僅舉半體耳無濟也家人固請遂鍼之卒如彥修言且計日促之行曰當及家而絕果如所言葛路遇狂犬語人曰誰當擒之郎

可療惡少環執之砭其臂犬臥良久瘥羣少戲里中望見可以一從牖躍出曰名之診視不驗則羣噪之強可以診之曰腸已斷矣當立死有頃果亾鍾聞曰可以十藥神書每爲治虛者採用孰知又有鍼砭擊案之奇哉公曾治人傷寒不得汗發狂循河而走公就捽置水中使禁不得出良久出之裹以厚被得汗而解可見才智人無所不可亦無所不妙不獨善用補劑也

許叔微精于醫云五臟蟲皆上行唯肺蟲下行最難治當用獺爪爲末調藥于初四初六日治之此二日肺蟲上行也

福建按察副使沈文敏其母失明延一醫療之云障翳已重藥不能效乃先藥之使不知痛尋以物撥轉眼睛向內一面向外封閉三日而開視物瞭然醫云眼睛惟兩角有觔繫之故可撥轉然非妙手不能

戴元禮得丹溪之學王光菴賓得其書以授盛啓東

一日治熱病用附子光菴曰汝遽及此乎此反治之道也但少加之而愈某太監臌脹無能治者東投劑卽瘥太宗狩西苑遥見太監曰彼死久矣安得復生曰得吳醫盛啓東而生太宗喜曰明日與來許以平巾入見授御醫東宮妃張氏病延十月衆醫以爲胎也脹愈甚上命東往視之診出言病狀如見妃遥聞之曰朝廷有此醫不早令視我何也出而用方皆破血之劑東宮觀之大怒曰好御醫早晚當誕皇孫乃

爲此方何也遂不用數日病益急乃復名診之曰再後三日臣不敢用藥矣仍用前方乃鎖之禁中家人惶怖或曰死矣或曰將籍沒家矣既三日紅棍前呵而歸賞賜甚盛蓋妃服藥下血數斗疾遂平也上亦賜之白金曰非謝醫乃壓驚也時啓東與袁忠徹俱不爲東宮所喜至是自謂可釋矣一日上謂曰若見吾東宮可少避之乃知憾猶未釋時韓叔暘亦同受便非俗學于光菴　啓東名寅少習舉子業五試弗售遂攻

學岐黃諸經受業戴元禮得丹溪正傳治奇疾輒效名播于朝成祖以字徵侍禁掖忽夜半名入東宮錦帳中出手按脉啓東曰六脉已離經此必母后將分娩但子抱母心非鍼不能下且難兩全中使具狀聞上曰俟母后商之妃曰得子可以安天下全我何爲命即下鍼鍼出即生太孫及宣宗御極後掌中猶有鍼痕嘗諭輔臣曰盛啓東全朕世世當錄其子孫又一日上不豫名入禁中命按脉啓東曰脾經受寒一劑

便愈上哂之啓東叩首曰弗愈當治臣罪上命中使記之左右皆愕然是夕進藥未服明日復召入上曰一劑弗愈當如何左右變色啓東從容曰臣乞再按脉當服罪命按之則徐言昨藥未嘗服上大異之賜爲醫中狀元命出入禁闥掌院事

石山居士汪機字省之早歲習春秋游庠屢試不利父渭曰范文正言不爲良相則爲良醫盍渭嘗以醫活人至數千指故以諷之居士卽棄去舉業肆力醫

家諸書參以周易及性理與論而融會于一皆世醫所未聞也母病頭痛嘔吐十餘年居士起之如故父晚年三染患亦三起之父曰醫力如此鼎牲何足羨耶益加研究百試百中凡診病竭力治之至忘寢食若王公貴人稍不爲禮者不應也遐邇求治者無虛日活人至數萬指其徒周臣許忠紀之曰石山醫案著有脈訣刋誤內經補註本草會編行世

周易性理人所習見何以世醫皆未聞或者謂非

汝衡事略詳本書第百五葉下

醫書可以不必讀乎噫此醫之所以庸也然儒者日讀周易性理矣又何以視身夢夢委性命於庸醫之手乎近世讀書達理者周汝衡王宇泰祝茹穹三先生能信而講求此道者惟吳鍾闇今皆不及見矣

張頤字養正瞽而善醫名動三吳以補元氣爲主故有張人參之號然奇効亦不專於補也周文襄病痢日百度況太守名頤時頤有服辭不往強之諷以易

服曰非見至尊不可易也守以白公公曰何害遂麻衣而入未命坐頤曰不坐不敢視疾公遽令坐診曰中暑也焙黄連半斤煎膏半盞曰服此當少五十度公服之果然曰未也再服一斤則止明日乃進補劑即愈有患傷寒者汗如雨醫皆投補劑頤令市柴胡十餘兩衆疑訝不敢用曰所出外汗耳邪汗在内猶未出也試舐今日之汗必不臭服是藥而汗臭乃其徵也果然有食羊肉者飲水胸膈迷悶投以附子五

錢而愈。

太倉丁蘭至山東逆旅，食梨數顆，隨近女色，胸膈迷悶，勺飲不入者七八日，羣醫不知所爲。隣有傭耕者語其僕曰：汝主已垂死，凴吾治之乃可生。因以利刀割其胸，取積如粉皮者數片，合以油線，傅藥而去。蘭絶而復蘇，即能噉湯粥，三日能行，如未病者。視其胸都無痕迹。

弘治初，吳縣顧謙染疫，延醫官杜祥療治，轉劇，夜夢老人云爾爲杜生誤宜更詣門劉宗序驚寤亟迎之疾少減夜起見金冠綠袍者踞坐梁上室中懸藥胡盧累百呼謙名曰我天醫也具說其受病之源又授以數百言曰行此可爲名醫語訖而隱自是頓愈而若耳聵往謁醫士凌漢章爲鍼兩耳曰子嘗爲天醫傳藥乎謙驚問何以知之曰大凡天醫治疾傳藥耳中藥入而氣閉故聵也謙乃具言所見曰先生神人也

陳御史之兒忽閉目口不出聲手足俱軟急延醫治之獨孟友荊一見便云公子無病乃飲酒乳過多沉醉耳濃煎六安茶飲數匙便醒御史撫掌大笑曰得之矣

鍾闇曰濃煎六安直截痛快勝葛花解酲湯矣

淮安孟望湖耳中聞人聲悉是祖考談其家事擾擾不休劉春齋診之曰暴病之謂火怪病之謂痰用滚痰丸下之愈

一吏部無子妻極妬妾方坐蓐乃盤腸生妻賂將針刺其腸內妾生子覺腸刺痛難忍收生婆私告于妾妾與吏部言之諸醫束手訪于一全眞曰我能治之用磁石大塊從痛處引之引至于臍針從臍出黃蟄南言

雲間姚蒙善醫時鄒都堂來學巡撫江南訪而名之鄒公素嚴重頗輕之令診脉蒙退却不前公呼座乃診曰大人根器上別有一竅出汙水公大驚曰此予隱疾汝何以知蒙曰以脉得之左手關脉滑而緩肝

第四葉有漏洞下相通旣久公始改容謝之乃求藥嘗曰不須藥只到南京便好以手策之曰今是初七得十二日可到公曰知之矣即治行果十二日晨抵南京入會同館而卒前輩技能不可及 停驂錄

萬曆戊寅冬童良玉老年得關格症醫藥不効偶道人過門索食其子延對食以糕問曰爾家何事奔惶語之故且延祈之道人曰勿慮從我去延對隨之三山門外小茅菴中付以囊中藥草一束曰此通腸接

骨草也四月發芽百日枯多生于觀音山旱向陽脆受陰狀似益母梗方而四緑葉如芸生採得汁一盞便活一人此則去年所收乾者可入砂礶內用一大盂水煎服如其言果効及走謝巳行矣草尚留半又轉以活一徐姓者

金陵瑣事載一弁善飲父年老令其襲職過大司馬堂踉蹌欲仆父怒絕其飲遂病垂斃羣醫皆以爲瘵也臨終其母憐其素無他嗜惟以酒一匙奠之于口

及納棺而鼻有微息于是再奠一匙遂漸有呼吸因扶起復飲酒如常以壽終古人謂治病毋失其常意葢如此

周文銓字汝衡一字巽齋金陵人資學獨絕見世工但習近世脉訣方書諸雜説不究本原即見病莫知從來不過揣度施治乃悉屏去衆習書獨取内經本草難經諸書徹晝夜讀務窮精與學大方脉于楊茂益歷閫域汝衡診病立方多與衆殊指知此道湥承

或失手則殺人重于用藥遇有故輒不赴名或見病疑輒不投藥人莫測其意或謂其難致汝衡終弗言嘗語顧東橋先生曰醫者聖人之學也非盛德莫能操其慮非明哲莫能通其說士有能知草木金石昆蟲之藥辨類審性析經致能弗乖其宜弗亂其忌是謂知物知物者巧士有能知人之疾病淫于四氣薄于五臟動于七情見外知內按微知巨占始知終執生知死由是以審施湯液醪醴鍼砭按摩之治是謂

知證知證者工士有能知藏府之所表裏經絡之所離會榮衛之所弱勝命脉之所消息選物設方制于未形體徵發慮决于衆惑是謂知生知生者聖士有能知天地之情陰陽之本變化之因死生之故立教布法使人專氣含精以握樞機汰穢蓀真以固根柢疾疢不作神乃自生是謂知化知化者神夫神聖者上智之能事未易異及工巧之道術學之所造也醫不臻此不足以名業顧隣初先生聞之曰嗚呼此其

指徵矣世寥寥誰能解者陳玉泉先生載入欣慕編曰巽齋切脉製藥一主朱李迥出流輩衆大駭然病者輒愈乃大服公卿恒折節下之負其才藐達官顯人非與抗禮卒不赴又健談值主人會心縱談或至移時竟忘他請以是多失豪貴人意乃延他醫他醫妥庸者咸致產千金汝衡卒以窮死平生不以醫授人人亦無能受之者今不傳

近代有如此異人而竟不傳可惜也無他秪是世

間讀書人少

鍾闇曰不與衆習同自應以竆死然有玉泉隣初兩先生知之于前復有覺岸表章于後周先生至今存也彼致產千金者安在哉予讀此編之夕先夢一人授予以稱稱者銓衡之象也亦斟酌銖兩之義也先生教我矣巳酉八月廿三日曉起記之

大凡賢豪亦各有習氣如吳齊抗禮縱談竟忘他請是也鍾闇平生無棄人雖不可救之症未忍絕

其請固有感其婆心者然訕謗亦不少不以爲救所難救反寃以因救而致不救轉不如世醫袖手得計也抑知慈親之於子孝子之於親雖萬不可救必閔閔然冀其或一救今同於孝子慈親之心而不理於衆人之口亦奚恤焉編中詳其手眼獨高處庶乎苦心不泯耳

大帥王式如患心痛每日一發卽以頭搶地如刀割針刺不可忍必以口自咬身肉惟出征射箭則無恙

服藥六年不効祝茹穹診之曰無病之脉何以有此適見其食物太驟似不咀嚼者始悟其由因令打麵餅一二斤飽吃鋪毡於地令打筋斗數十用山查麥芽大黃玄明粉各一兩濃煎服下須臾腹痛瀉一塊紫黑色四圍生毛其中爲魚骨而舊症頓脫體矣究其故以魚骨平頭向下是以得過喉此骨停住胞絡其尖頭向上射箭時直其身可無患若拜揖灣背其骨上刺心若身覆下則益痛用麵餅及飽令其頭叩

地翻復卽骨刺入麪餅內而以藥速化之骨隨麪出矣

臨川士人家婢有罪逃入深山見野草枝葉可愛取根啖之遂不飢夜宿大樹下聞草中動以爲虎懼上樹避之及曉欲下欻然凌空若飛鳥如是數歲家人採薪見之捕之不得以酒餌置往來路上婢果來食遂不能飛與俱歸指所食之草視之乃黃精也

鍼砭之妙有起死之功蓋脈絡之會湯藥所不及者

中其俞穴，其應如神。方書所載，如唐長孫后懷高宗將產，數日不能分娩。詔醫博士李洞玄候脉，奏云：緣子以手執母心，所以不產。太宗問：當如何？洞玄曰：留子母不全，母全子必死。后曰：留子，帝業永昌。遂隔腹鍼之，透心至手，后崩，太子即誕。後至天陰，手中有瘢痕。盛啓東疑倣此法。

龐安常視孕婦難產者，曰：兒雖已出胞，而手執母腸。捫兒手所在，鍼其虎口，兒痛縮手而生。及觀兒虎口

果有鍼痕

脞説載李行簡甥女適葛氏而寡改嫁朱訓忽得疾如中風山人曹居白曰此邪疢也鍼其足外踝上二寸許良久婦甦曰疾平矣始言每疾作夢故夫引行山林中今早故夫爲棘刺足脛不可脫乘間乃歸曹笑曰適刺人邪穴也

錢塘徐秋夫善治病宅湖溝橋東夜聞空中呻吟聲甚苦秋夫至其處問曰汝鬼耶須衣食耶抱病耶鬼

曰我東陽人斯僧爲樂游吏患腰痛死今在湖北爲鬼苦亦如生爲君善醫故來相告秋夫曰汝無形何由治鬼曰縛茅爲人按穴鍼之棄流水中可也秋夫作茅人爲鍼腰目二處復薄祭送湖中夜夢鬼云已瘥并承惠食感君厚意宋元嘉六年秋夫爲奉朝請

宋趙信公在維揚有老張總管精于用鍼一日公侍姬苦脾血疾垂殆時張留旁郡亟呼其徒治之徒曰疾已殆僅有一穴或可療于是刺足外踝二寸餘而

鍼爲物氣所留竟不可出其徒倉惶曰穴雖中而鍼不出非吾師不可於是命流星馬宵征凡一晝夜張至笑曰未得吾出鍼法耳遂于手腕之交刺之鍼甫入而外踝之鍼躍而出卽日疾愈王儒甯曰古以石爲鍼不用鐵東山經云高氏之山多鍼石季世無復佳石故以鐵代之癸辛集

鍾闇曰鍼外踝爲物氣所留鍼手腕以出之此卽褚彥通下病療上法也此義所宜深究

嘉祐初仁宗寢疾諸藥不驗間詔草澤始用鍼自腦後刺入鍼方出開眼曰好惺惺翌日遂愈自此以其穴爲惺惺穴鍼經初無此名或曰卽風府也又嘗患腰痛李公主薦一騍卒卽名見用鍼刺腰鍼纔出卽奏云官家起行上如其言行步如故遂賜號興龍穴云（談圃）

湖州淩漢章少學鍼灸三殺人乃棄鍼水中鍼皆浮水面章曰天命我矣拜而受之遂精研其術名動天

下。偶寓東海湯氏。聞其隣徐叔元家哭甚哀。往問之。乃其子婦以產難死。叔元以爲不祥。將舁火葬。漢章急止之。命其夫發棺揣胸前尚微溫。由鍼下數穴。良久子下婦得生。又一跛翁扶杖過之。自言幼多瘡瘍。有庸醫誤折針膝中。令杖行二十年不愈。漢章于其肩背上針三四穴。折針卽從患處突出。棄杖再拜而去。

按針法近多失傳。巳亥之夏。余以膈氣病。不寢食

針之補寫

者百餘日諸藥不効待盡而已獨范道安謂肺脉一絲甚靜必不死但服藥必嘔羣醫斂手或薦一鍼工至連鍼十數處無濟徒相苦耳經云用鍼之妙隨氣而施故曰有見如入有見如出謂見氣來至乃內鍼鍼入見氣盡乃出鍼也抑鍼亦有補泄補泄之法非必呼吸出納鍼也先以左手厭按所鍼之處彈而努之爪而下之其氣之來如動脉之狀順鍼而刺之得氣推而內之是謂補動而伸之

是謂泄竊恐世人原未知隨氣之妙也經又言迎而奪之安得無虛隨而濟之安得無實虛之與實若得若失實之與虛若有若無蓋迎而奪之者瀉其子也隨而濟之者補其母也如心病瀉乎心主腧是謂逆而奪之也補乎心主井是謂隨而濟之也實之與虛者氣來實牢者為得濡虛者為失故曰若得若失竊恐世人原未知虛實之殊也經又言無損不足而益有餘謂病有虛實如肝實而肺

虚金木當更相平假令肺實肝虚用鍼不補其肝而反重實其肺所害不淺竊恐世人原未知損益之要也經又言春夏刺淺秋冬刺深蓋春夏陽氣在上人氣亦在上故當淺取之秋冬陽氣在下人氣亦在下故當深取之又言春夏各致一陰秋冬各致一陽謂春夏下鍼沉之至腎肝之部得氣引而持之陰也秋冬內鍼浮之至心肺之部得氣推而納之陽也竊恐世人原未知浮沉之宜也此皆

至淺近者尚不究心鍼法失傳空矣

嘗考孫眞人針灸提要之法按十二時取穴寅肺手少商魚際大淵經溝尺澤卯大腸手南陽二間三間合谷陽溪曲池辰胃足厲兌內庭陷骨冲陽解溪三里巳脾足太白隱白大都商丘陰陵泉午心手少冲少府神門靈道少海未小腸手少澤前谷後溪腕骨陽谷少海申膀胱足至陰通谷束骨京谷昆侖委中酉腎足湧泉然谷太谿復留陰谷

戌心。手中冲。勞宮。大陵。間使。曲澤。亥三焦。手關冲。
液門。中渚。陽池。支溝。天井。子膽。足竅陰。俠谿。臨泣。
丘墟。陽輔。陽陵泉。丑肝。足大敦。行間。太冲。中封。曲
泉。法極詳。慎世不能察。

取鑑

書曰人無於水鑑於人鑑有志修身者豈不貴遇其人哉雖博通懸解而封已執見終墮小成則損益之關不可不審也陶弘景得稚川之旨始喟然曰仰青雲睹白日不爲遠矣劉玄英悟正陽累卵之喻王摩詰步子微天台之踪唐若山因異人以度世許棲巖謁太乙而輕舉張乖崖分華山之半席蘇子由叩趙吉于高安莫不珍所由來悉機鞭影豈其志在探微

事多屑越哉下及雅人潔士亦不泛交即有寄托期于適意凡以鏡物一如鏡人而鏡人總以自鏡若內視密聆隱景高研聳九變之觀彈八琅之璈李青蓮所賦大鵬遇希有鳥也瑣思濫接必傷神志君子願遇他山之石耻近暗銷之膏

人亦有言臟腑之病易診性情之病難醫聖人曰民有三疾春秋時已成變症今爲不起之症矣又曰已矣乎未見能見其過而內自訟者未能自鏡必有人

焉能鏡之者但不當覿面失之耳嘗見古人相與有成者終其身一人焉而巳矣終其身一人亦終其身一言焉而巳矣此一言者不中的不發發而不受則竟不可救也巳噫知人難知言尤難有能直攻其隱使其霍然回生施者受者咸稱古道豈避藥石之苦反譁疾哉先民有作前訓可師也

孔子見羅者所得皆黄口也問之曰黄口盡得大爵獨不得何也羅者對曰黄口從大爵者不得大爵從

黄口者可得孔子顧謂弟子曰君子愼所從不得其人則有網羅之患

壺丘子戒列子曰子好遊乎務外遊者不知務内觀外遊者求備於物内觀者取足於身取足於身遊之至也於是列子自以爲不知遊終身不出居鄭圃四十年人無知者

漢陰丈人責桔槹之説曰機心存于胸中則純白不備純白不備則神生不定神生不定者道之所不載

也子往矣勿妨吾事

元封時上元君降于瑶池謂武帝曰汝好道乎汝胎性暴胎性淫胎性奢胎性酷胎性賊五者常藏于營衞之中雖慕道亦徒然耳

劉赤脚嘗云修身之士要見人好處不得見人短處學道須向一鍼一草上降服其心切忌胡亂放過

嵇叔夜從孫公和游三年問其所圖終不答將别謂先生竟無一言惠我乎公和曰子識火乎火生而有

光而不用其光果在於用光人生而有才而不用其才果在於用才用光在乎得薪所以保其耀用才在乎識眞所以全其年子才多識寡難乎免於今之世矣叔夜不能用後果遇難

姜伯貞求道采藥遇異人使平倚日中其影偏巽人日子篤志學道乃不知心不正之爲失耶

燉煌索襲字偉祖虛靜好學不就榮利太守陰澹奇而造焉爲之贊曰世人之所好先生之所棄味無味

於恍惚之際兼重玄於衆妙之內宅不踰畝而志忽九州形居塵俗而棲心天外

司馬承禎高致勵學與李太白孟浩然等友善睿宗名見問道對曰爲道日損損之又損以至於無心目所見雖損之不能巳況勞心術數增其智慮哉

陳圖南訓种放曰汝當名馳海內但名者造物所忌子名將起必有物敗之可戒也

雙流章督字隱之博通經學以道自裕友人范百祿

抑之答曰人之所好而不足者善也所醜而有餘者惡也君子能強其所不足而拂其所有餘於道幾矣

劉元城曰子弟寧可終歲不讀書不可一日近小人

邵堯夫嗜學盧蘇門之百原山北海李先生之才叩其何學堯夫對以讀書之才曰苟以簡冊而已如性命何乃舉易圖授之堯夫始洞悟玄解

朱元晦謂友人云吾輩於貨色兩關打不透更無話可說又曰世間萬事須臾變滅皆不足置胸中惟有

修身養性爲究竟法耳

元聃因吳槩言病痛多曰人必全體是而後可以言病痛公今全體都未是何病痛之可言

陸子靜問一學者曰近日如何看書答曰守規矩子靜忻然問如何守規矩答曰伊川易傳胡氏春秋上蔡論語范氏唐鑑忽呵之曰陋說次日請益子靜謂文言曰大哉乾元至哉坤元聖道只是箇易簡又曰道在邇而求諸遠事在易而求諸難這方喚作規矩

昨日來說甚規矩　方元壽聞敎慶快云但某自度無此力量子靜云錯說了元壽平日之力量乃堯舜之力量

王陽明曰今人多以言語不能勝人爲耻不知能下人正是英雄我能從他是他爲我所兼併了故知得當耻不當耻方纔是近乎勇

陽明素善劉養正因其謀逆逼令引决其毋喪暴露陽明使人葬之且祭以文曰君臣之義不得私于其

身朋友之情尚可申于其母有儒生上書辨論君臣朋友本無二理陽明愧屈

王龍谿謂羅念菴曰世間薰天塞地無非慾海學者舉心動念無非慾根而往往假托無動無靜之說以成其放逸無忌憚之私所謂行盡如馳莫之能止者

唐荊川自謂能致良知開府淮揚時扶病治事人稱其中欽龍谿笑諷之曰却未致得眞良知未免攙和荊川怫然曰試舉看龍谿曰適在堂遣將諸將有所禀呈辭意未盡即與攔截發揮自己方畧此是攙入意見心便不虛非眞良知也將官請問某地方如何設備便引證古人做過勾當如此如此自家一點圓

明友覺凝滯此是攙入典要機便不神非眞良知也有時發人隱過揚人隱行行不測之賞加非法之罰自以爲得好惡之正不知自已靈根已爲搖動此是攙入安排非眞良知也如製木城造銅面畜獵犬不論勢之所便也之所宜一一合其[illegible][illegible][illegible][illegible][illegible]

也。

　兩先生學于文成之門。切磋有大過人者。

李志學好談神仙。然嗜醇甘。耽姝麗。李夢陽曰。喧寂不共途。動靜無竝驅。子謂果有揚州鶴乎。志學曰。根汙泥而挺清泠之上者。蓮之所以神也。夢陽曰。汙泥

不染者以其根蓮也子誠蓮則可非蓮則壞矣

王冡宰抑菴求戴文進画十年不得聶大年云若黎

十年求画之心求天下之才則野無遺賢矣

陸太史濮廣交游劉忠宣語之曰初入仕知已不空

爲介友新竹爲澹友古木爲老友烟雲風月爲去來之良友野花點臺砌者爲小友較曾端伯取時花爲十友開落無常偶一相思不堪千里命駕古人取友於煙雲風[illegible]不禽不豈得已哉目前無人只得以[illegible]人之徒與而誰與具眼在不[illegible]亦各觀友驗人之得失[illegible]素鑒不待言矣[illegible]朝[illegible]人良以眞[illegible]

人登……

……戶有客至……莫

……蹉跎未免犯乎

耳……病中……又安能以茶銚一

粒鼠糞乎……山房有約曰炎夏如甑須解暑客如

高衲羽士山林逸民眉目有峭壁流泉之致或眞道

學眞清官霜氣逼人亦可破悶若豐頤廣腑赤汗交

流肥薌集其鼻端蠅營鼓其兩腋過門不入原無少

憾窮冬蕭索須破寂客如勇力進道直透鐵壁之輩能令冷灰豆爆寒谷生暄火爐邊無賓主句不妨舉似下此或學富五車或劍俠猛士或豪華博施亦令人耳熱若[illegible]禪[illegible]但增離索不如共已

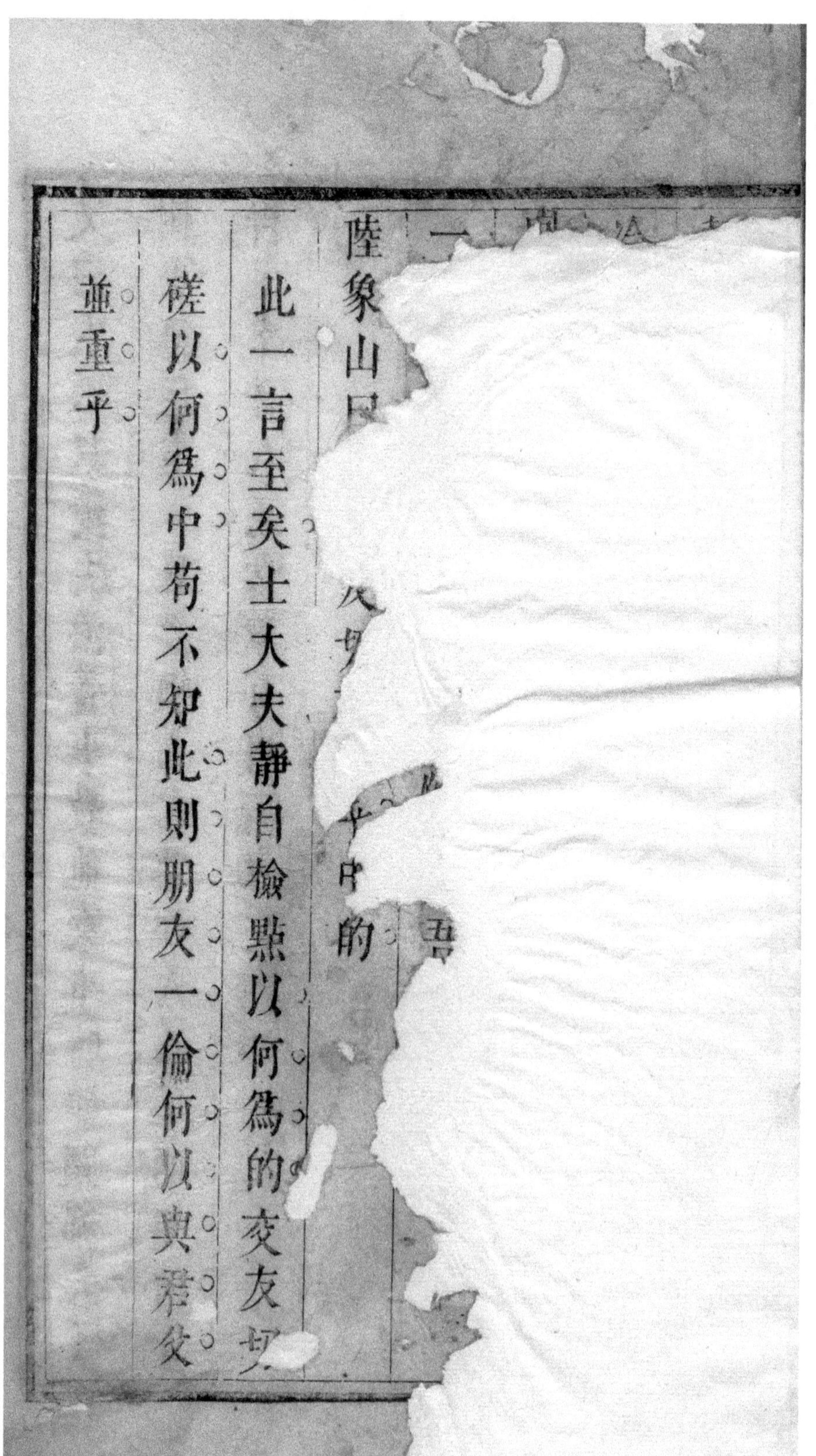

陸象山曰[illegible]友切[illegible]乎中的

此一言至矣士大夫靜自檢點以何為的交友切磋以何為中苟不知此則朋友一倫何以與君父並重乎

又曰人心只愛去泊着事教他棄事時如猢猻失了樹更無住處　風俗驅人之甚如人心不明如何作得主宰吾人正當障百川而東之

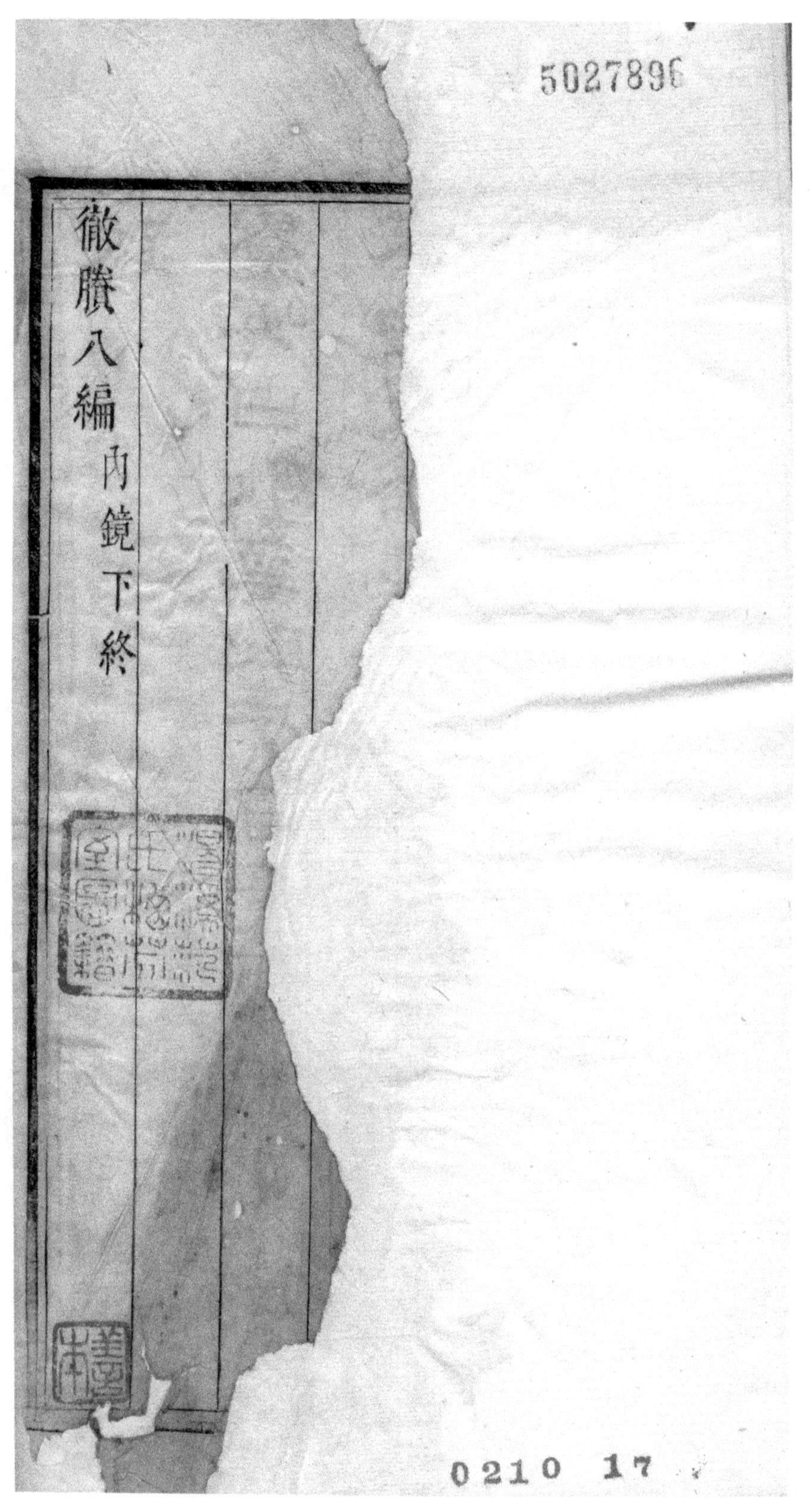
5027896
徹賸八編内鏡下終
0210 17

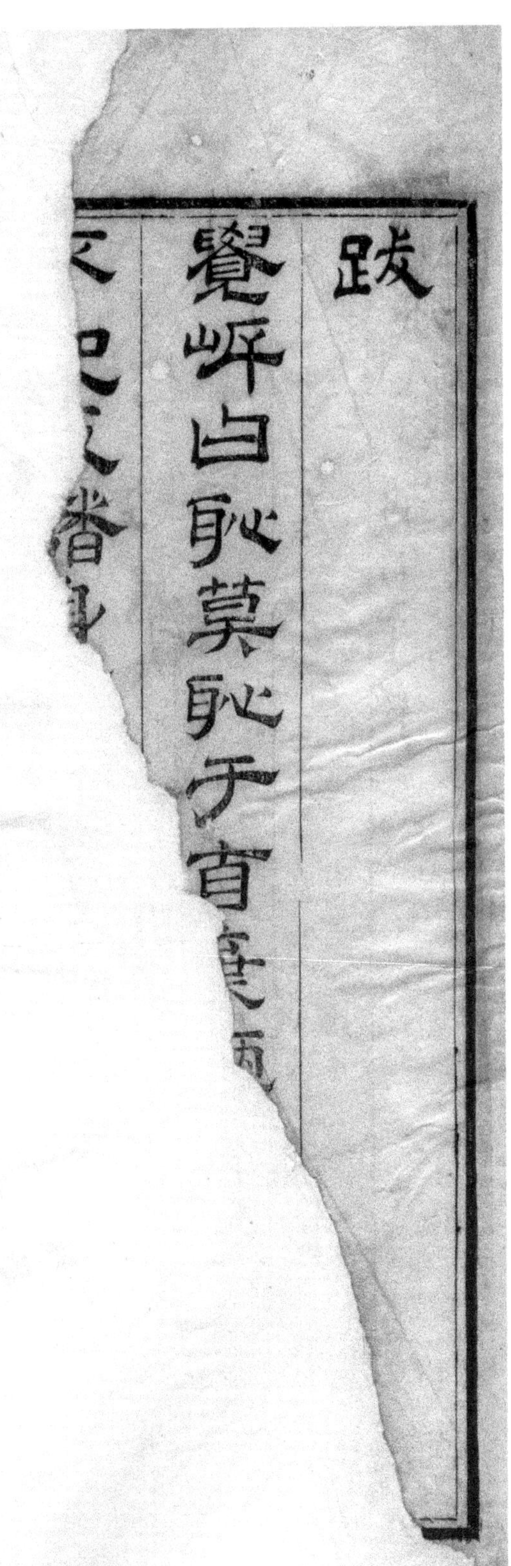

跋

鼇峰白恥莫恥于首

又己之番

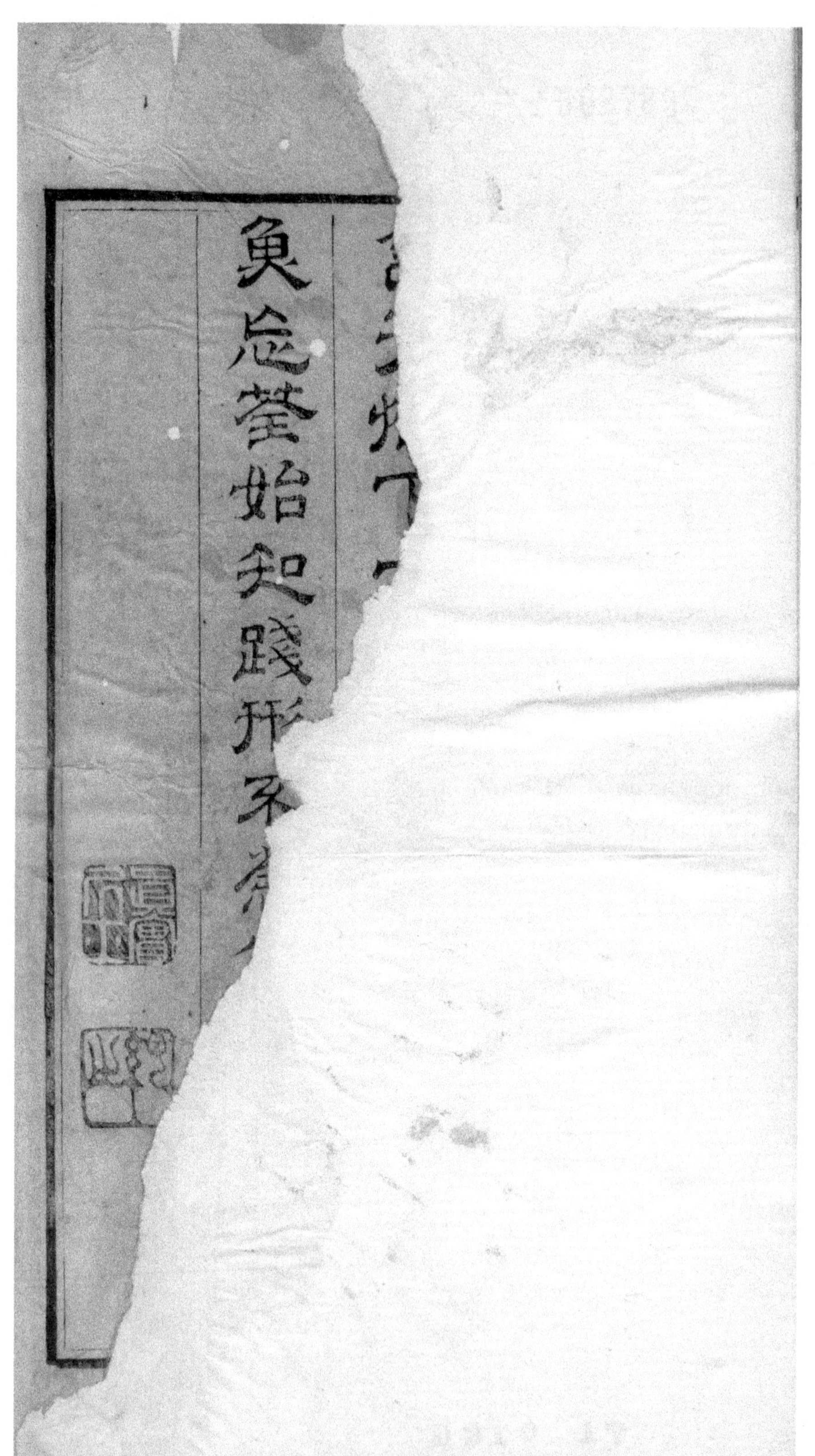

負笈荃始知踐形不